L'UNIVERS DES
RENARDS

L'UNIVERS DES

RENARDS

Chasseurs de l'ombre

REBECCA L. GRAMBO

ÉDITIONS DU TRÉCARRÉ

Données de catalogage avant publication (Canada)
Grambo, Rebecca L., 1963-
    L'univers des renards : chasseurs de l'ombre

(L'univers)
Traduction de : The nature of foxes.
Comprend des réf. bibliogr. et un index.

ISBN 2-89249-508-3

1. Renards. 2. Renards – Ouvrages illustrés. I. Titre II. Collection :
L'univers (Saint-Laurent, Île-de-Montréal, Québec).

QL737.C22G72514 1997   599.74'442   C96-941504-4

Traduction : Ginette Hubert et Lucie Legault
Traductions Jean-Guy Robert enr., Sherbrooke

© Éditions du Trécarré, 1997 pour l'édition française

L'édition originale de cet ouvrage a paru en anglais sous le titre :
The Nature of Foxes : Hunters of the Shadows
Publié au Canada par Greystone Books, une division de Douglas & McIntyre
Ltd, Vancouver, B.C.
© Copyright pour le texte : Rebecca L. Grambo, 1995
© Copyright pour les photographies : les photographes cités, 1995

Éditrices : Jane McHughen et Nancy Flight
Photographie de la jaquette (recto) : Tom et Pat Leeson
Photographie de la jaquette (verso) : Alan et Sandy Carey
Conception graphique des pages intérieures et de la jaquette : Barbara Hodgson

ISBN 2-89249-508-3

Dépôt légal 1997
Bibliothèque nationale du Québec
Imprimé et relié à Singapour
Éditions du Trécarré
Saint-Laurent (Québec), Canada

PAGE IV-V : *Comme la plupart de ses congénères, le renard roux doit se désaltérer souvent. Certains habitants du désert, comme le renard à grandes oreilles, se sont affranchis de cette servitude et tirent de leur nourriture l'eau dont ils ont besoin.*

TOM ET PAT LEESON

PAGE VI : *Malgré son air de toutou mignon tout droit sorti de l'imagination d'un fabricant de jouets, le minuscule fennec est un prédateur habile et extrêmement bien adapté à la vie dans le désert africain. D'un poids qui dépasse rarement 1,5 kilo, c'est le plus petit renard.*

GLEN ET REBECCA GRAMBO

À MA MÈRE, DELORES,

QUI A TOUJOURS PRIS LE TEMPS

DE PARTAGER MES DÉCOUVERTES

TABLE DES MATIÈRES

Au repos près de son terrier, un renard à grandes oreilles lève la tête pour écouter. Ce renard, qui est la variante nord-américaine du fennec, habite les régions arides de l'ouest des États-Unis et du nord du Mexique. Quant au renard véloce, son cousin très ressemblant, il chasse non loin de là, dans les prairies d'Amérique du Nord.

GLEN ET REBECCA GRAMBO

PRÉFACE

Le magnétisme du renard est difficile à expliquer. Des mots comme «gracieux», «magnifique» et «intelligent» ne traduisent pas exactement ce je-ne-sais-quoi qui en fait un animal aussi fascinant. Son charme vient peut-être du fait que nous le voyons rarement, sauf lorsqu'il le veut bien. Pour ma part, je me sens privilégiée chaque fois que cette créature remarquable m'autorise un regard furtif sur son intimité. Les nombreuses heures que j'ai passées à épier les renards et d'autres animaux comptent parmi les moments les plus précieux de ma vie.

Le premier renard vivant que j'ai eu l'occasion de toucher, une renarde argentée élevée par des humains, s'appelait Fancy. Je fus surprise, en caressant sa face du bout des doigts, par la délicatesse de son ossature. Je sentais, sous l'épaisse fourrure, la vigueur se dégager d'un corps à la charpente étonnamment gracile. Fancy inspecta à fond mes vêtements, sans oublier de fouiller du museau chacune de mes poches et de goûter les lacets de mes chaussures. Elle fut très impressionnée par mon appareil photo et mon flash sur lesquels elle a laissé de petites marques de dents comme souvenirs tangibles de la curiosité des renards.

Un jour que je rentrais à la maison après une séance de photos, je fis une autre rencontre mémorable avec des renards. Glen, mon mari, conduisait. En regardant de l'autre côté de la route, je captai un éclair fauve dans les hautes herbes d'une prairie. Je hurlai à Glen de s'arrêter. Quelques minutes plus tard et après avoir évité de justesse un ou deux accidents, nous nous arrêtâmes en bordure de la route afin d'observer une femelle renard roux et ses six petits qui se chamaillaient gaiement dans le soleil de fin d'après-midi. Les renardeaux disparaissaient subitement, puis reparaissaient l'instant d'après en une masse tourbillonnante de pattes et de queues qui faisait vibrer l'air. Les petits renards étaient tellement absorbés par leurs jeux qu'ils ne virent pas le spermophile nonchalant et particulièrement myope qui passa en trottinant. Nous les regardâmes, émerveillés par l'exubérance des petits et la patience de la mère, jusqu'à ce qu'elle les entraîne dans les bois

PAGE CI-CONTRE : *La plupart des renards chassent la nuit. Certains, toutefois, sont actifs durant la journée tandis que d'autres préfèrent les heures de clarté ouatée de l'aube et du crépuscule, et sortent le moins possible dans la clarté et l'obscurité totales. Les habitudes varient selon l'espèce et la saison, et même, jusqu'à un certain point, selon les individus.*
ERWIN ET PEGGY BAUER

pour leur séance de chasse nocturne. Comme il m'est arrivé bien souvent, cette rencontre avec des renards fut imprévue : un cadeau magnifique !

Bien des gens m'ont aidée de diverses façons à mener ce projet à terme. Mes sincères remerciements à Candace Savage et à Rob Sanders pour leur patience et leurs encouragements. Merci à Jane McHughen, qui m'a donné des conseils très utiles, et à Nancy Flight, la talentueuse rédactrice qui a peaufiné le texte. Ludwig N. Carbyn, chercheur au Service canadien de la faune à Edmonton, en Alberta, a revu le manuscrit. David Macdonald, Jennifer Sheldon, Charles MacInnes, Gene Trapp et Laurie McGivern ont répondu à mes nombreuses questions. David et Cathryn Miller ont fait la correction d'épreuves. Brad et Kathy Peters ont eu la gentillesse de me présenter à Fancy et à leurs autres renards.

Merci à toutes les personnes qui m'ont signalé la présence de renards et qui nous ont hébergés lors de nos séances d'observation, en particulier Joan et Del Foulston, Clayton Cave, Doug et Darlene Thiessen, Sherry et Allen Aitken, Peter Law, Bill Meekins, Dennis Senholt et les membres de la Saskatchewan Wildlife Art Association.

Ma famille a assuré les services essentiels. Ma sœur Jane m'a alimentée d'un flot continu de messages d'encouragement et a ensoleillé mes journées en me faisant parvenir de nombreuses photos de renards. Mon mari Glen a manifesté un soutien et un intérêt constants et a écouté sans se plaindre mes innombrables anecdotes au sujet des renards. Freddy, mon gros lapin bélier, s'est révélé un compagnon calme, drôle et apaisant. Je vous suis tous reconnaissante et vous promets de trouver d'autres sujets de conversation.

Quant à moi, je suis plus que jamais sous le charme des renards. J'espère que ce livre vous rapprochera de cet animal que bien des gens pensent connaître, mais connaissent si peu en réalité. Et j'espère que, lorsque vous en saurez davantage sur leur vie remarquable, vous partagerez ma fascination pour les renards.

PAGE CI-CONTRE : *Sur ses courtes pattes qui lui permettent de courir dans la neige, le renard arctique parcourt parfois des distances énormes dans sa quête de nourriture. Après l'homme, c'est le mammifère qui effectue les plus longs déplacements terrestres.*
ALAN ET SANDY CAREY

Chapitre 1   **LES RENARDS DANS LE MONDE**

Au moment où je débouchais dans la clairière, une tache de couleur accrocha mon regard. Un renard roux sommeillait dans les hautes herbes. Le soleil de fin d'après-midi allumait des gerbes d'étincelles dans sa fourrure qui ondulait dans la brise. Le vent emporta mon odeur jusqu'à lui. Un œil doré s'entrouvrit lentement. Je tentai aussitôt de me cacher en plongeant au sol. Le renard me regarda faire, puis se leva, s'étira comme un chat et bâilla à se décrocher la mâchoire. Il partit vers les bois en trottant, faisant un crochet chaque fois qu'une odeur ou un bruit lui semblait prometteur. En bordure de la clairière, il me jeta un dernier coup d'œil, entra dans les bois et disparut.

Quand le soir descend, les renards se faufilent avec une grâce silencieuse parmi les ombres qui s'allongent. De la brunante à l'aube, ils chassent, celui-ci au cœur des luxuriantes forêts pluviales, celui-là sur la glace balayée par les vents. Ils trottent à pas feutrés sur le sable des déserts et sur l'asphalte mouillé où se reflète dans des zébrures la lumière des réverbères. Les renards sont présents sur tous les continents, sauf en Antarctique. Il en existe en tout 22 espèces : gros ou petits, clairs ou foncés, ils se sont pliés aux exigences de leur environnement. Toutefois, en voyant un animal à la face pointue, aux yeux intelligents, aux oreilles alertes, aux moustaches élégantes et à la queue en plumeau bien fournie, nous savons immédiatement qu'il s'agit d'« une sorte de renard ».

Même s'il appartient, comme le loup, le coyote et le caniche qui vous tient compagnie, à la famille des canidés, le renard présente de nombreuses caractéristiques typiquement félines. Chiens et chats ont d'ailleurs eu un ancêtre commun, un animal de la famille des miacidés ressemblant à une belette qui vivait il y a environ quarante millions d'années. Par la suite, cependant, les familles des félins et des canidés se sont différenciées et le renard est apparu dans la branche des canidés. La grande ressemblance entre le renard et le chat provient d'une évolution convergente ; autrement dit, deux groupes non reliés ayant des modes de vie analogues ont connu une évolution parallèle.

PAGE CI-CONTRE : *Au repos mais quand même vigilant, un renard roux se chauffe au soleil estival. Partout et en tout temps, les renards doivent être sur le qui-vive, à l'affût des proies ainsi que des prédateurs. Le coyote, le chacal, le léopard et l'aigle s'attaquent tous au renard, mais c'est l'homme qui représente la plus grande menace.*

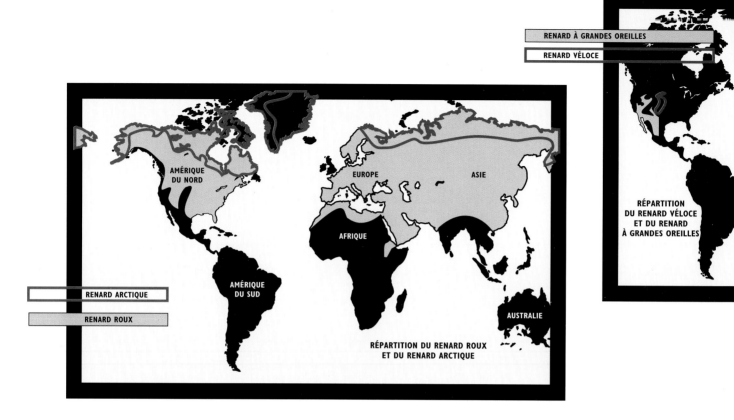

RENARD À GRANDES OREILLES

RENARD VÉLOCE

RÉPARTITION
DU RENARD VÉLOCE
ET DU RENARD
À GRANDES OREILLES

RENARD ARCTIQUE

RENARD ROUX

RÉPARTITION DU RENARD ROUX
ET DU RENARD ARCTIQUE

RENARD GRIS

RÉPARTITION
DU RENARD GRIS

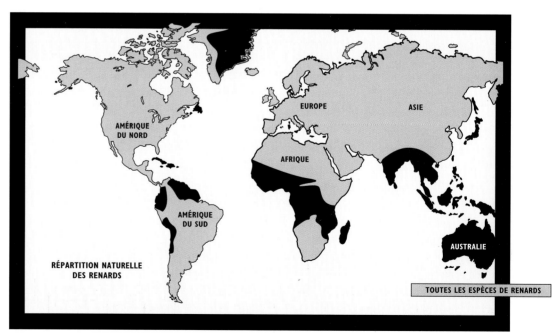

RÉPARTITION NATURELLE
DES RENARDS

TOUTES LES ESPÈCES DE RENARDS

Le renard, comme le chat, chasse des proies de petite taille qui ne peuvent nourrir plus d'un chasseur à la fois. Ce sont aussi des proies d'une extrême prudence, que seul le prédateur rusé et solitaire réussit à surprendre. Quand ses sens l'avertissent d'une présence, le renard s'immobilise, tend l'oreille pour capter le bruit de pas précipités dans l'herbe et demeure le corps tendu, parfaitement concentré. Puis, donnant un coup sec de la queue, il bondit, le museau et les pattes antérieures en premier, et épingle sa proie au sol. Comme il a chassé au son et non à la vue, il apprend seulement à cet instant quel animal lui servira de repas. Tous les propriétaires de chats connaissent bien cette façon de bondir à la verticale qu'on appelle « mulotage ».

Lorsque la proie recherchée exige une tactique de chasse différente, le chat et le renard passent à une lente chasse à l'approche. Ils avancent, le ventre rasant le sol et les yeux rivés sur leur proie. Chaque pas est fait avec d'infinies précautions, la patte arrière se posant exactement dans la trace de la patte avant.

L'examen des pattes d'un chat ou d'un renard révèle la présence de coussinets plantaires souples et de touffes de poil entre les doigts ; ces caractéristiques contribuent à rendre leur marche plus silencieuse. Chez le renard roux, les griffes des pattes antérieures sont même partiellement rétractiles, un peu comme celles des chats. Ces derniers, ainsi que la plupart des renards, ont au museau et aux poignets des groupes de vibrisses extrêmement sensibles au moindre contact et reliées à des cellules nerveuses spéciales. Chez les chats, et sans doute chez les renards, l'information recueillie par les vibrisses est transmise au cerveau sous la même forme que celle recueillie par les yeux. Animaux de la nuit, les chats et les renards comptent sur cette combinaison de la vue et du toucher pour obtenir une image claire de leur environnement.

Comme le souligne Sandra Sinclair dans *How Animals See*, les animaux nocturnes doivent avoir des yeux très sensibles, car même lorsque le renard chasse dans une prairie dégagée par le plus brillant des clairs de lune, il dispose de millions de fois moins de lumière que pendant la journée. Normalement, la lumière qui entre dans l'œil est captée par les cellules réceptrices, ou photorécepteurs. Chez les animaux nocturnes, l'œil est pourvu d'une couche de tapetum réfléchissante située derrière la rétine. Celle-ci renvoie une seconde fois la lumière vers les photorécepteurs et en augmente l'absorption. Pour protéger les sensibles photorécepteurs de la lumière vive du jour, les chats et les renards ont des pupilles en forme d'ellipses verticales qui se ferment plus hermétiquement que les pupilles rondes. Ces animaux actifs du crépuscule à l'aube possèdent donc des pupilles parfaitement adaptées à leur mode de vie.

Les chats et les renards voient bien quand la lumière est faible, mais ils doivent pour cela sacrifier la clarté de l'image. Comme ceux des humains, leurs yeux sont munis de deux types de photorécepteurs : les cônes et les bâtonnets. L'information provenant des bâtonnets, qui fonctionnent dans une lumière diffuse, est groupée avant d'être transmise au cerveau, ce qui donne une image à basse résolution. Les cônes, qui servent à distinguer les couleurs, ont besoin de plus de lumière pour travailler. Contrairement aux bâtonnets, chaque cône envoie au cerveau l'information qu'il a recueillie, ce qui produit une image très détaillée. La vision

PAGE CI-CONTRE : *Les renards sont présents naturellement sur quatre continents et ils ont été introduits en Australie. L'extermination par l'homme de prédateurs concurrents, comme le loup et le coyote, a permis au renard roux de devenir le carnivore le plus largement distribué dans le monde. D'autres espèces de renards se sont adaptées à des habitats particuliers. Par exemple, le renard arctique a élu domicile dans la toundra, tandis que le renard à petites oreilles vit dans les forêts pluviales des plaines sud-américaines. Plusieurs espèces, dont le renard à grandes oreilles, le fennec, le renard du désert austral et le renard pâle, habitent le désert. Des 22 espèces de renards disséminées dans le monde, le renard roux, le renard arctique, le renard véloce, le renard à grandes oreilles et le renard gris sont les mieux connues.*

Carte de répartition mondiale : basée sur The Encyclopedia of Mammals, *de D. W. Macdonald, New York, Facts on File, 1984.*

Autres cartes : basées sur The Wild Canids : Their Systematics, Behavioral Ecology, and Evolution *de M. W. Fox, New York, Van Nostrand Reinhold, 1975.*

Le chercheur canadien David Henry a analysé comment la physiologie du renard roux lui a permis de faire de sa technique dite du « mulotage », illustrée ci-contre, une méthode hautement efficace pour capturer ses proies. Premièrement, le renard roux a, comparativement aux autres canidés, des os fins et légers et un estomac petit. Le poids qu'il gagne à chaque repas est donc limité. Étant plus léger, le renard peut sauter plus loin. Deuxièmement, ses pattes postérieures sont d'une longueur disproportionnée par rapport à celles de certains de ses proches cousins. Comme des pattes plus longues restent un peu plus longtemps en contact avec le sol, la puissance de son saut s'en trouve accrue. Finalement, Henry a observé que l'angle de « décollage » du renard est légèrement inférieur à l'angle de 45 degrés requis pour obtenir une distance maximale. Selon sa théorie, le renard minimise l'effet du vent en ouvrant son angle de saut au minimum requis pour obtenir la distance désirée. Quand le renard roux veut bondir sur une proie rapprochée, il lui suffit d'ouvrir un peu plus son angle de décollage pour sauter moins loin. Étonnamment, tout ce travail d'évaluation et de réglage se fait instinctivement, quelques fractions de seconde avant que le renard s'élance, tel un superbe mais mortel missile.

ERWIN ET PEGGY BAUER

À DROITE : *Des oreilles pouvant localiser avec précision un bruissement révélateur dans l'herbe, des vibrisses transmettant une importante information tactile au cerveau, un flair capable de détecter les plus subtiles odeurs et des pupilles elliptiques protégeant des yeux extrêmement sensibles : la nature a fait du renard un chasseur de l'ombre très efficace.*

GLEN ET REBECCA L. GRAMBO

de la plupart des animaux actifs pendant les périodes de faible luminosité est dominée par les bâtonnets. Ces animaux détectent mieux que nous les mouvements dans la pénombre, mais ce qu'ils voient manque de couleur et de netteté.

L'ouïe est probablement le sens le plus utile au renard qui chasse. Les tests démontrent que c'est aux bruits à basse fréquence, comme les bruissements et les grignotements des petits animaux, que son ouïe est la plus sensible. Le renard roux peut en déterminer la source à quelques centimètres près. Même au repos, un renard bouge sans cesse les oreilles, comme un auditeur qui balaie continuellement les stations sur son poste de radio. Dans son livre intitulé *Running with the Fox*, le spécialiste anglais de la faune David Macdonald décrit dans un style très pittoresque les facultés sensorielles d'un renard roux :

> Une grande partie de la vie du renard ne tient qu'à un fil, croulant sous l'information que lui renvoient ses sens aiguisés. L'évolution a fait du renard une créature capable de décoder toute information avec une extrême acuité : il perçoit l'image trépidante du lapin qui bat des paupières, le fracas assourdissant de la souris qui couine 20 mètres plus loin, l'horrible puanteur d'une empreinte de chien laissée la veille.

Une ouïe très fine, un flair incomparable, une vue de nuit excellente : pour les petits mammifères, c'est la mort qui rôde, sur quatre pattes gainées de noir.

Les petits mammifères forment le plat de résistance de la plupart des renards, mais la composition du menu peut varier beaucoup. En saison, le renard mange parfois presque exclusivement de petits fruits. Si les bébés lapins à queue blanche abondent, le renard en consommera tous les jours. Certains renards mangent plus de végétaux que d'autres, mais la grande majorité semble mettre à son menu un aliment de nature végétale. Ensuite, chaque espèce de renard inscrit sur sa «liste d'épicerie» la nourriture qu'elle préfère. De la même manière qu'une personne peut préférer le maïs au brocoli, de même le renard préfère le campagnol à la musaraigne. Là où j'habite, par exemple, les renards roux sont particulièrement friands de fraises sauvages.

Chaque fois qu'un renard dispose d'un excédent de nourriture, il enterre ce qu'il ne consomme pas immédiatement en prévision des périodes de disette à venir. La plupart des renards adoptent ce comportement de stockage alimentaire et se constituent des caches de provisions. Ils retrouvent leurs garde-manger au moyen d'une combinaison de méthodes «privées» et «publiques». Si le renard se sert de sa mémoire visuelle («sous le chêne à la grosse branche tordue»), il utilise sa propre méthode privée. D'autre part, trouver une cache à l'odeur est une méthode très «publique», utile non seulement au renard qui a caché les provisions, mais également à divers pilleurs de caches, dont les ours, les coyotes et les autres renards.

Même si leurs habitudes de chasse et de stockage alimentaire sont solitaires, la recherche a montré que les renards ont un côté social. Chaque année, par exemple, ils se regroupent pour élever une famille. Liés pour la vie, comme le sont peut-être les couples de renards arctiques d'après le biologiste David L. Chesemore, ou seulement pour une saison, les

PAGE CI-CONTRE : *Les grandes oreilles de cet otocyon lui servent de régulateurs thermiques dans les brûlantes savanes africaines. Elles l'aident également à capter et à focaliser les bruits que produisent les insectes, qui représentent 80 pour cent de son alimentation. Cet animal croque et mâche ses proies avec plus de dents que tout autre canidé.*
ART WOLFE

partenaires sont pratiquement inséparables pendant la saison des amours. Le mâle suit la femelle qu'il a choisie, lui consacre du temps et se rapproche graduellement avant de se décider à la toucher. Ces préliminaires amoureux permettent à deux animaux normalement solitaires de s'habituer l'un à l'autre. Le point culminant de ce processus d'acclimatation arrive en hiver, pendant les quelques jours où la femelle est réceptive à l'accouplement. Par la suite, le mâle se montre parfois un peu moins attentif, mais il aidera sa compagne après la naissance des petits, de cinquante à soixante jours plus tard.

Pendant la saison des amours, la femelle choisit, après avoir visité et nettoyé plusieurs gîtes, un terrier où elle mettra bas. Les renards n'ont pas l'habitude de creuser leur propre terrier. Ils préfèrent utiliser les tanières abandonnées par d'autres animaux, comme le blaireau, le spermophile et la marmotte. La renarde apporte les changements nécessaires pour convertir le terrier choisi en une habitation très confortable. Elle s'installe ensuite à proximité et attend la naissance de ses petits. Après avoir mis bas, elle dépend parfois entièrement de son partenaire pour sa nourriture. C'est lui qui chasse pour le couple et rapporte à manger au terrier. Pendant cette période, la femelle s'occupe exclusivement de ses bébés. Quand les petits sont plus âgés, les deux parents se partagent la lourde tâche de trouver suffisamment de nourriture pour toute la famille. Si l'un des deux est tué, le survivant tentera d'élever seul les renardeaux.

L'organisation de la vie en commun varie d'une espèce à l'autre et même d'un groupe à l'autre au sein d'une espèce. Certains renards forment une cellule familiale simple tandis que d'autres vivent en bandes plus nombreuses, composées d'un mâle et de plusieurs renardes. Souvent parentes, ces femelles peuvent être soit mère et filles, soit sœurs. Dans certains cas, une seule femelle devient gravide par saison de reproduction et quand ses petits sont nés, les autres femelles l'aident à les élever. La hiérarchie d'un groupe de renards peut être assez complexe, les individus dominants et agressifs imposant leur loi aux plus soumis. Par exemple, les membres dominants, habituellement le mâle et les femelles qui élèvent des petits, accaparent les meilleurs territoires de chasse. Chaque groupe de renards a son propre domaine, sur lequel les renards vivent et chassent. L'accès au domaine est presque toujours défendu contre les intrus, et les renards qui y vivent mettent souvent au point un système complexe de marquage pour en délimiter les frontières.

L'étendue du domaine dépend de l'espèce et de l'abondance de la nourriture. Chaque automne, les renardeaux de l'année quittent le domaine familial pour se trouver un territoire à eux. Quand la nourriture se fait plus rare, surtout en hiver, les renards ont besoin d'un territoire de chasse plus grand, ce qui les incite à repousser les limites de leur domaine. Les rencontres entre renards voisins se multiplient et la forêt retentit alors de cris et de grognements.

Lors de leurs rencontres, les renards communiquent par la voix et le langage corporel. Ils produisent différents sons qui vont d'une sorte de « gak-gak-gak », que David Macdonald appelle un ricanement, à un cri perçant. Chaque son semble avoir sa propre signification. De subtils changements dans la position des oreilles, de la queue et des babines transmettent également une profusion de renseignements. Même si une grande partie des

PAGE CI-CONTRE : *Parfois, les grosses proies, comme ce lapin, sont en partie ou en totalité dépiautées avant d'être mangées. Le renard commence par les morceaux de choix — cœur, poumons, foie et quartier avant — et met le quartier arrière plus filandreux en réserve.*
ART WOLFE

CI-DESSUS : *En arrêt à l'entrée de son terrier, un renard roux s'assure qu'il n'y a pas de danger. Les terriers des renards sont souvent faciles à repérer. Cependant, il vaut mieux ne pas trop s'en approcher, surtout au printemps, car la femelle pourrait se sentir menacée par une présence humaine et emmener ailleurs ses petits.*

GLEN ET REBECCA GRAMBO

À DROITE : *Établissant un contact à distance, ce renard colpeo lance un appel sur un haut plateau d'Amérique du Sud. Pour communiquer entre eux, les renards ont diverses façons de vocaliser qui vont de la plainte étouffée au cri perçant.*

WAYNE LYNCH

communications du renard demeure indéchiffrable, nous pouvons comprendre certains comportements. Par exemple, en observant un groupe de renardeaux pendant un certain temps, nous les verrons adopter les mêmes positions d'« appel au jeu » que les chiens domestiques: tête et poitrail abaissés, arrière-train soulevé et frétillements de la queue. Mais dès qu'un danger apparaît, d'un bref jappement d'alarme, l'un des parents expédie illico le groupe de renardeaux vers la sécurité du terrier.

Les dangers qui guettent les renards prennent diverses formes. De nombreux prédateurs les menacent: les hiboux et les chouettes, les gros éperviers, les lynx, les loups, les ours et les autres renards. D'après Garrott et Eberhart, on a vu plusieurs familles de renards arctiques de l'Alaska abandonner leur terrier à cause du harcèlement des aigles royaux. En Afrique, le chacal, l'hyène et le léopard chassent le renard et en Amérique du Nord, le carcajou tue parfois des renardeaux. L'être humain et ses animaux de compagnie sont toutefois la principale source de problèmes pour les renards. Les chiens domestiques, par exemple, agressent souvent les renards. Ils sont d'ailleurs la première cause de mortalité des fennecs et des renards du Bengale. De leur côté, les humains font énormément de victimes par la chasse sportive, la lutte antiparasitaire, le piégeage et la destruction d'habitats. L'activité humaine menace, directement ou indirectement, la vie de la plupart des renards, dont l'espérance de vie varie énormément, selon l'espèce et les conditions de vie. En captivité, la majorité vit au maximum treize ans. En liberté, un renard qui fêterait son cinquième anniversaire aurait effectivement raison de le célébrer.

Bon nombre d'espèces de renards habitent des régions éloignées, peu habitées, et on sait très peu de chose à leur sujet. Peu importe où ils vivent toutefois, ils ont une caractéristique importante en commun: ils s'adaptent. Pour trouver un abri ou de la nourriture, ce sont des maîtres de l'improvisation. Cette souplesse leur permet de survivre dans des régions où des animaux hautement spécialisés ne le pourraient pas. Les renards d'Europe et d'Amérique du Nord sont ceux qui ont été le plus étudiés, en partie à cause de leur importance comme animaux à fourrure et de leur rôle dans la propagation de la rage (la deuxième cause de mortalité des renards). Le renard roux et le renard arctique occupent le territoire européen. Le renard roux, le renard arctique, le renard véloce, le renard à grandes oreilles et le renard gris vivent en Amérique du Nord, un vaste territoire présentant des paysages variés. Ces cinq espèces, qui occupent divers habitats, illustrent bien l'expression «rusé comme un renard ».

LE RENARD ARCTIQUE

Pour survivre et résister aux vents mordants qui balaient la toundra, le renard arctique (*Alopex lagopus*) compte sur sa fourrure. Son pelage aux jarres longs et fins et son duvet touffu lui offrent une protection supérieure à toute autre fourrure de mammifère, même à celle du loup ou à celle de l'ours blanc. Comme l'ours, il a des oreilles petites et arrondies qui contribuent à réduire les pertes de chaleur. Ses yeux à la pigmentation forte sont protégés contre l'éclat éblouissant de la neige et de la glace. Ajoutez à cette description des pattes courtes chaussées de fourrure et vous obtenez le portrait d'un animal bien adapté à la vie au royaume des glaces.

Ce petit renard (il a à peu près la taille d'un gros chihuahua ébouriffé) trotte sur la neige et couvre d'énormes distances. L'homme est le seul mammifère terrestre à effectuer des déplacements plus longs. On sait que certains renards ont déjà parcouru une distance de 1 500 kilomètres. David Chesemore rapporte que l'on a observé des migrations massives de renards arctiques dans le nord de l'Europe et dans l'ancienne Union soviétique. Lors de son expédition sur la banquise polaire entre 1893 et 1896, l'explorateur de l'Arctique Fridtjof Nansen a suivi des traces de renards très loin sur la glace, jusqu'à 240 kilomètres au nord de l'archipel François-Joseph. On a même vu leurs traces aussi haut qu'à 88° de latitude Nord et à plus de 450 kilomètres des plus proches terres libres de glace au large du Groenland. C'est pour trouver de la nourriture que le renard arctique entreprend de si longs périples.

Un renard arctique qui s'est aventuré très loin sur la glace de mer en hiver peut se mettre à suivre un ours blanc dans l'espoir d'obtenir un morceau de phoque. Et lorsqu'un groupe de renards affamés trouve une carcasse de morse gelée, il s'offre un véritable festin. David Chesemore souligne cependant que ces renards doivent parfois creuser avec leurs griffes à une profondeur d'un demi-mètre avant de pouvoir mordre dans une viande coriace. Les renards arctiques continentaux se nourrissent principalement de lemmings et d'autres rongeurs. Ils complètent leur menu avec des lagopèdes et des lièvres arctiques quand ils en trouvent. Ces renards suivent souvent les loups et se repaissent des carcasses de caribous qu'ils abandonnent. Il leur arrive même de s'attaquer à de jeunes caribous affaiblis. Certains renards arctiques stockent des provisions pour l'hiver pendant l'été, quand la nourriture est abondante.

Pendant le long hiver arctique, le phoque annelé est une source de nourriture essentielle tant pour l'ours blanc que pour le renard arctique qui se nourrit de ses restes. Au printemps et en été toutefois, le menu du renard gagne beaucoup en variété. En avril et en mai, lorsque les petits du phoque sont nés, il n'a plus besoin d'attendre que l'ours ait tué une proie pour manger. Le chercheur T. G. Smith avance l'hypothèse que, grâce à son acuité auditive et olfactive, le renard peut, par vent arrière et probablement d'aussi loin que de 2 kilomètres, localiser le gîte d'un phoque annelé, même s'il est enfoui sous 1,5 mètre de neige. Avec une précision fatale, le renard défonce l'abri et se saisit du petit qui s'y trouve.

Les colonies d'oiseaux nichant sur le littoral approvisionnent le renard arctique en œufs et en oisillons et lui permettent parfois de capturer un adulte imprudent. S'il n'aime pas

chasser les oiseaux, le renard peut aller sur le rivage et se nourrir des fruits de sa pêche. Ses dents pointues sont capables de casser et de broyer comme des noix les carapaces des crabes et des mollusques. Avec la rapidité d'un chat, il attrape les petits poissons prisonniers des étangs à marées. À l'occasion, il agrémentera son repas d'oursins et d'algues. Dans la toundra continentale, le renard chasse à l'approche dans les secteurs herbeux où se nourrissent les petits herbivores, qu'il capture d'un bond rapide. Et si le renard vit à proximité des humains, il fait, de temps à autre, une incursion au dépotoir. Là, il lèche délicatement les dernières gouttes adhérant à un contenant de yogourt ou récolte de petits morceaux de viande dans les reliefs du dîner de poulet de la veille. Un couple qui élève une portée nombreuse a besoin de toute la nourriture qu'il peut trouver.

Quand la nourriture est abondante, les portées se font plus nombreuses et les femelles donnent couramment naissance à 10 petits ou plus. Par contre, en temps de pénurie, la renarde met bas une portée plus petite, de trois à six renardeaux généralement. Si la disette se poursuit, les renardeaux les plus forts mangent les plus faibles. Et quand la nourriture fait vraiment défaut et que même cette cruelle stratégie a échoué, les parents abandonnent les petits pour tenter d'assurer leur propre survie. S'ils y arrivent, ils auront une portée plus nombreuse l'année suivante.

Les terriers des renards arctiques sont habituellement des monticules de 1 mètre à 4 mètres de hauteur qui s'élèvent dans la toundra. Ils peuvent aussi élire domicile dans les talus rocheux, les dunes ou les pingos (basses collines de glace qui se dressent sur le pergélisol) ou occuper le terrier abandonné d'une marmotte en Sibérie. Les repaires peuvent être de simples tanières pourvues de quelques entrées ou de vastes réseaux de tunnels ayant jusqu'à 100 entrées. Les plus anciens et les plus grands servent probablement depuis des siècles. À la fin de l'été, les terriers de renards sont faciles à repérer dans la toundra sèche. En effet, une végétation luxuriante pousse à l'entrée, là où les matières organiques se sont accumulées et où le renard a aéré le sol en le creusant.

Le renard arctique est pour sa part bien camouflé, mais pas toujours en blanc. On peut trouver dans la même portée les deux variétés de couleur, la blanche et la bleue. Le renard au pelage blanc en hiver est brun en été. Le renard bleu, beaucoup moins courant, est habituellement gris-brun foncé ou gris-bleu en été et d'une couleur un peu plus claire en hiver. La couleur de la robe semble liée à l'habitat, les renards bleus étant plus nombreux dans les régions côtières où il y a moins de neige. Peu importe la couleur cependant, la fourrure hivernale du renard arctique est très recherchée et l'animal est soumis à un piégeage intensif à cause d'elle.

Le renard arctique est présent partout en Arctique et dans les régions de toundra du monde entier. Son aire de répartition part de la Norvège, s'étend vers l'est et traverse la Sibérie et l'Amérique du Nord jusqu'au Groenland. Ce n'est que lorsque la température descend en dessous de – 40° C qu'augmente le métabolisme du renard arctique, bien isolé dans son manteau de fourrure. À ce moment-là, il a moins besoin de nourriture qu'un renard roux pour survivre. Cet avantage lui permet d'exploiter un trou dans l'aire de répartition de ce dernier. À la limite inférieure de l'aire de répartition du renard arctique, là où la nourriture est plus abondante, c'est toutefois le renard roux qui l'emporte.

Minuscules à côté de l'ours blanc qu'ils suivent, les renards arctiques espèrent avoir droit à un morceau de phoque si l'ours réussit à tuer une proie. Des études portant sur les ours blancs menées à 160 kilomètres des côtes ont confirmé la présence de renards arctiques ou de leurs traces partout où un ours avait tué un phoque. Dans une certaine mesure, tous les renards sont opportunistes. Ils récupèrent n'importe quoi, non seulement la charogne, mais aussi diverses choses, comme des placentas d'agnelage et des restes de nourriture dans les dépotoirs.

FRED BRUEMMER / VALAN

LES RENARDS DANS LE MONDE 17

CI-DESSUS : *Ce renard
arctique se creuse un garde-
manger temporaire. Il y « cachera »
ou y mettra en réserve les excédents
de nourriture. Tous les renards
du monde font ainsi. En cachant
des provisions quand ils ont des
surplus de nourriture, ils se
prémunissent contre les périodes
de disette.*

À DROITE : *Simple divertissement ou véritable agression ? Seuls
les renards le savent vraiment. La
position de la queue, des oreilles et
de la tête tout comme les sons qu'ils
produisent sont diverses façons de
communiquer entre eux. Ils se
transmettent aussi de l'information
par des sons ou en laissant des
marques olfactives, généralement
de l'urine ou des fèces.*

LE RENARD VÉLOCE
ET LE RENARD À GRANDES OREILLES

Plus au sud, deux autres renards spécialisés occupent les brèches dans l'aire de répartition du renard roux d'Amérique du Nord : le renard véloce et le renard à grandes oreilles. Ces petits renards sont tellement semblables que certains experts considèrent qu'ils appartiennent à la même espèce.

Le renard véloce (*Vulpes velox*) est un chasseur des prairies dont l'aire de répartition a déjà recouvert toute la plaine du centre-ouest de l'Amérique du Nord, de la partie septentrionale du Texas aux prairies du sud du Canada. Au milieu du XXᵉ siècle toutefois, la population de renards véloces, surtout dans le nord de son aire de répartition, a été considérablement réduite par l'activité humaine, qui n'a épargné qu'une petite population centrale. Après les années 50 cependant, le renard véloce a commencé à se réapproprier une grande partie de son territoire initial et, en 1983, le Canada lançait un programme de repeuplement en Alberta et en Saskatchewan. À la fin de 1992, 656 renards véloces ont été relâchés dans ces provinces. On peut maintenant espérer la résurgence d'une population de renards véloces autosuffisante dans les prairies du sud du Canada.

En fin de journée, le renard véloce quitte son terrier pour aller chasser dans la prairie. À la tombée de la nuit, il se met en quête des souris et des spermophiles, qui constituent sa principale nourriture. Il s'attaque aussi à des proies plus grosses, comme le lièvre californien — tout un défi pour un animal à peine plus gros qu'un chat domestique ! Après un départ fulgurant, il peut rattraper un lièvre qui s'enfuit à toute vitesse. Comme une traînée de feu qui se répandrait dans l'herbe de la prairie à 60 kilomètres-heure, le renard véloce fond sur sa proie. Ses pieds semblent à peine toucher le sol.

Même si le renard véloce a surtout des lapins, des souris et des spermophiles dans son garde-manger, il profite, comme tout prédateur non sélectif efficace, de la nourriture saisonnière. Quand ils sont abondants, les coléoptères, les sauterelles et d'autres insectes représentent une grande part de son alimentation. Le cerf tué l'hiver précédent de même que toute autre charogne peuvent s'avérer des sources de nourriture importantes, particulièrement quand les autres denrées se font rares. Les oiseaux, les lézards, les graminées et les fruits complètent son menu.

Au lever du soleil, le renard rentre au terrier pour dormir toute la journée. Les adultes vivent en couples, mais ne s'unissent pas nécessairement pour la vie. La saison des amours arrive entre la fin de décembre et le début de février, et les renardeaux naissent de mars à mai. La portée moyenne se compose de quatre ou cinq bébés dorés et duveteux. Les renards véloces creusent leur propre terrier ou s'emparent de trous de blaireaux, de chiens de prairie et d'autres animaux. À l'occasion, on voit les renardeaux et leurs parents prendre du soleil et se reposer devant leur repaire, mais jamais ils ne s'éloignent durant la journée. Le renard véloce habite dans un terrier toute l'année, contrairement aux autres renards qui utilisent leur terrier seulement pendant la période où ils élèvent leurs petits. Au cours d'une année, une famille de renards véloces peut occuper jusqu'à 13 terriers ; ils déménagent à cause de la rareté des proies ou d'une invasion de parasites de la peau dans le terrier.

PAGE CI-CONTRE : *Cette famille de renards véloces est de retour chez elle, dans la prairie. Grâce au programme canadien de repeuplement, cette espèce peut être réintroduite dans les secteurs où elle a été exterminée.*
WAYNE LYNCH

Dans la nature, le renard véloce vit seulement de trois à six ans et il ne manque pas d'ennemis. Il doit se méfier du grand-duc d'Amérique, du lynx roux et de l'aigle royal qui s'emparent de ses petits. Renardo Barden écrit, dans *Endangered Wildlife of the World*, que les loups toléraient bien ce renard ; toutefois leur élimination par les humains a permis aux coyotes et aux renards roux de proliférer. D'une taille se rapprochant davantage de celle du renard véloce, ces deux prédateurs lui disputent souvent ses proies. Les coyotes représentent aussi une menace plus immédiate et le renard doit souvent détaler vers le premier abri s'il tient à la vie. Comme c'est le cas de bien d'autres espèces de renards cependant, c'est l'être humain qui, par le piégeage et la destruction d'habitats, lui cause le plus de problèmes.

Merveilleusement adapté à la vie dans le désert, le renard à grandes oreilles (*Vulpes macrotis*) vit dans les zones arides et semi-arides de l'ouest des États-Unis. Son aire de répartition s'étend vers le sud jusqu'au nord du Mexique, incluant la péninsule de Basse-Californie. Certaines caractéristiques du renard arctique se retrouvent chez le renard à grandes oreilles, comme les pieds poilus, les yeux très pigmentés et un épais manteau de fourrure. Ces caractéristiques ont toutefois des fins bien différentes. Les pieds poilus du renard à grandes oreilles lui permettent de marcher sur le sable brûlant, la pigmentation de ses yeux le protège de l'implacable soleil du désert et son manteau de fourrure le prémunit contre la chaleur des journées et la froidure des nuits dans le désert.

À l'instar de nombreux mammifères vivant dans le désert, le renard à grandes oreilles est nocturne et évite la chaleur du jour. Ses oreilles immenses, qui agissent comme des radiateurs, lui servent à évacuer la chaleur corporelle excédentaire. Et quand il chasse pendant les heures de fraîcheur, elles fonctionnent comme des microphones paraboliques : elles recueillent et focalisent les bruits les plus ténus et l'aident à dénicher de savoureux insectes. En plus des insectes, le renard à grandes oreilles semble raffoler des rats kangourous. Il mange aussi des souris, des campagnols, des oiseaux et des fruits de cactus. D'un poids dépassant rarement 1,8 kilo et un peu plus petit et plus lent que le renard véloce, le renard à grandes oreilles chasse également le lièvre californien. Ce menu varié lui procure tout le liquide dont il a besoin et lui évite d'avoir à chercher une source d'eau.

Comme le renard véloce, le renard à grandes oreilles vit dans un terrier souterrain toute l'année, peut-être en partie pour échapper aux coyotes. Les secteurs de prédilection ressemblent à des lotissements pour renards. Les terriers groupés possèdent plusieurs entrées. Lorsque son terrier naturel est détruit, le renard improvise et s'installe parfois dans l'abri d'un puits, un ponceau ou un pipeline abandonné. De solides liens unissent les membres du couple et on croit qu'ils restent ensemble toute l'année. L'accouplement a lieu entre décembre et février. Quatre ou cinq minuscules renardeaux naissent une cinquantaine de jours plus tard. Chacun pèse quelque 40 g. Pendant la période où la mère s'occupe des petits, elle quitte rarement le terrier et compte sur son partenaire pour lui apporter sa nourriture. Comme chez le renard véloce, la famille peut changer plusieurs fois d'adresse au cours de l'été.

Les renardeaux se risquent à sortir du terrier environ un mois après leur naissance. Deux ou trois mois plus tard, ils commencent à chasser avec leurs parents. Comme ceux des autres espèces, les jeunes quittent leurs parents à l'automne pour trouver de nouveaux territoires.

PAGE CI-CONTRE : *Même si le renard roux est le carnivore le plus largement répandu et que dans certains cas, il continue à étendre son territoire, toutes les espèces de renards ne s'en tirent pas aussi bien. Menacé par la perte de son habitat et l'empiétement graduel de l'humain sur son territoire, le renard à grandes oreilles de San Joaquin est classé espèce en voie d'extinction et son avenir est incertain.*

ERWIN ET PEGGY BAUER

LE RENARD GRIS

Le renard gris (*Urocyon cinereoargenteus*) est chez lui aussi bien lorsqu'il chasse la souris dans les zones broussailleuses du Venezuela que lorsqu'il poursuit le lapin à queue blanche dans les forêts du sud des États-Unis. Il occupe une grande variété d'habitats sur son aire de répartition qui va des Grands Lacs, au nord, jusqu'au Venezuela et en Colombie, au sud. Il préfère les secteurs boisés, souvent en terrain accidenté ou rocheux, mais on le voit également dans les bosquets de citrus, les chaparrals, le long des voies ferrées et sur les terrains secs et dégagés. Les secteurs broussailleux en bordure des clairières offrent un bon habitat aux petits mammifères et un terrain de chasse idéal aux renards. Le renard gris sait tirer profit des zones de transition; il vit à proximité des limites des villes et des champs cultivés. Son proche parent, le renard gris insulaire (*Urocyon littoralis*), qui vit uniquement dans six des îles Channel au large de la côte sud de la Californie, figure sur la liste des animaux « menacés » de cet État.

Le menu du renard gris, qui est très varié, dépend de l'endroit où il vit et de la nourriture qui s'y trouve. En automne, son alimentation peut se composer en grande partie de végétaux. Maïs, pommes, arachides, kakis, fruits du noyer et graminées sont quelques-uns de ses aliments préférés. Lorsque les insectes abondent, ils représentent parfois jusqu'à 40 pour cent de son alimentation. Quant aux petits mammifères, en particulier les lapins et les souris, ils sont à son menu toute l'année.

Le renard gris présente une particularité qui le distingue des autres canidés. Lorsqu'il est poursuivi, le renard roux court souvent jusqu'à ce qu'il trouve un moyen de semer ses poursuivants. Pourchassé, le renard gris se faufile dans le premier trou venu ou grimpe à un arbre. Comme le chat, il s'agrippe au tronc avec ses pattes antérieures et se pousse vers le haut avec ses pattes postérieures. Rendu au sommet, il peut sauter de branche en branche si c'est nécessaire. L'examen anatomique du renard gris révèle que ses pattes avant peuvent faire des mouvements rotatoires plus grands que celles des autres canidés, ce qui augmente peut-être son habileté à grimper. Il redescend également comme un chat: la tête la première sur un tronc en pente et les pieds d'abord sur un tronc vertical.

Le renard gris ne grimpe pas aux arbres uniquement pour échapper à ses prédateurs. Il y monte pour se reposer ou trouver quelque chose à manger. L'écrivain et naturaliste nord-américain Ernest Thompson Seton raconte qu'il a vu un renard gris se reposer dans un nid de faucon abandonné. Bien des gens ont vu des renards gris grimper le long de troncs très droits, sans branches basses. À l'âge d'un mois, les petits de cette espèce sont capables d'escalader un tronc vertical sans aide.

Les petits du renard gris naissent dans des terriers aménagés dans une dépression de terrain, dans une crevasse rocheuse et à divers autres endroits. Victor Cahalane rapporte qu'une renarde entreprenante a élevé sa portée dans un bidon de lait de 40 litres abandonné. L'habileté de ces renards à grimper leur permet d'installer leur repaire dans des

PAGE CI-CONTRE : *Le renard gris est probablement le seul membre de la famille des canidés qui se sente à l'aise dans une telle situation. C'est pourquoi on l'appelle parfois* Tree fox *(renard arboricole). Présent à partir de la frontière canado-américaine, il vit aux États-Unis, au Mexique, en Amérique centrale, au Venezuela et en Colombie, et il chasse dans une grande variété d'habitats.*
LEONARD LEE RUE III

arbres creux, à près de 8 mètres du sol. La femelle a en moyenne 4 petits, mais elle peut aussi bien donner naissance à un seul renardeau qu'à 10. Ils naissent de la mi-mars à la mi-juin et les femelles vivant plus au sud mettent bas plus tôt dans l'année que celles vivant plus au nord. Après la parturition, les mâles de la plupart des espèces jouent un rôle important : ils s'occupent de la femelle qui allaite et l'aident à élever les petits. Le père renard gris a, de son côté, la réputation d'être moins attentionné. Quand les renardeaux ont trois mois, ils commencent à s'éloigner du terrier avec leurs parents. Un mois plus tard, ils sont capables de chasser seuls. Ils demeurent sur le domaine de leurs parents plus longtemps que les renardeaux des autres espèces, attendant jusqu'en janvier ou février de leur première année pour partir.

PAGE CI-CONTRE : *On le confond parfois avec le renard roux à cause des parties rousses de sa robe, mais la couleur poivre et sel prédominante et la bande noire sur la queue indiquent qu'il s'agit bel et bien d'un renard gris.*
DANIEL J. COX

LE RENARD ROUX

Pour la plupart d'entre nous, le mot « renard » évoque l'image d'un animal roux et enjoué, à la face pointue animée d'une expression intelligente. Le renard roux (*Vulpes vulpes*) est l'animal le mieux connu dans le monde, ce qui n'est pas surprenant compte tenu de sa vaste répartition et de ses interactions fréquentes avec l'être humain. Il occupe actuellement un plus grand territoire que tout autre carnivore. Il vit sur cinq continents, de la limite de la toundra, au nord, jusqu'à la bordure du Sahara au sud.

L'ampleur de sa répartition s'explique par une faculté d'adaptation stupéfiante. Toutes les espèces de renards possèdent jusqu'à un certain point cette particularité, mais aucune ne peut rivaliser en adaptabilité avec l'ingénieux renard roux. Par exemple, contrairement à beaucoup d'autres animaux, il peut s'adapter aux changements environnementaux provoqués par l'humain, et même en profiter. Après la Seconde Guerre mondiale, il s'est graduellement installé comme chez lui dans les édifices abandonnés et dans les ruines des secteurs bombardés de bon nombre de villes européennes. Certaines populations de renards roux parmi les plus denses en Amérique du Nord vivent à proximité des communautés rurales et des fermes laitières. On voit souvent des renards roux trottiner dans les rues des villes, pas du tout dérangés, semble-t-il, par le rythme trépidant de la vie autour d'eux.

Son adaptabilité se révèle également quand on compare la taille des renards roux qui vivent dans divers endroits et habitats : plus ils vivent au nord, plus ils sont lourds. Plus un animal est gros, plus sa surface corporelle est réduite par rapport à sa masse. Son corps peut donc mieux conserver sa précieuse chaleur. Les animaux plus gros peuvent emmagasiner plus d'énergie sous forme de gras et donc mieux supporter les périodes hivernales de pénurie alimentaire. La graisse leur offre en outre une couche isolante supplémentaire.

On pense généralement que la robe de ce renard est roux clair, mais la coloration de l'adulte peut aller du rouge jaunâtre pâle au noir argenté luisant. Le renard argenté, par exemple, dont la fourrure a tellement la cote auprès des fourreurs, est un renard roux au pelage presque entièrement noir avec des jarres à l'extrémité argentée. Le renard croisé n'est pas le résultat d'un croisement d'animaux d'espèces différentes, mais un renard roux qui a une ligne de fourrure foncée sur le dos et une autre en travers des épaules. Les trois variétés — roux, croisé et argenté — peuvent se retrouver dans la même portée. En captivité, on élève des renards par sélection, pour obtenir d'autres couleurs de robe. Dans la nature toutefois, il n'existe que deux autres variétés : le renard de Samson, produit d'une mutation génétique, qui n'a pas du tout de jarres, seulement un duvet laineux, et le renard bâtard, à la robe grisâtre, à mi-chemin entre le roux et le noir.

Quelle que soit leur couleur et peu importe l'endroit où ils vivent, tous les renards roux axent leur vie sur une chose : la quête quotidienne de nourriture. S'ils avaient comme nous un placard à provisions, les contenants, au lieu d'être étiquetés « Farine », « Sucre » et « Riz », porteraient les mentions « Campagnols », « Lapins » et « Souris ». Ce sont les éléments de base

PAGE CI-CONTRE : *Leonard Lee Rue III écrit que, si vous avez la chance de voir un renard roux se découper sur un arrière-fond enneigé inondé de soleil, vous avez sous les yeux l'idéal de beauté du monde animal. Je suis d'accord avec lui.*

ALAN ET SANDY CAREY

de leur alimentation. S'il fallait dresser la liste de tout ce qu'ils mangent, du moins ce qui est connu, le menu qui en résulterait serait extrêmement long. Le renard a des goûts éclectiques et profite de ce qu'offrent la saison et l'endroit.

Lorsqu'ils sont abondants, les fruits — fraises, baies de genièvre, framboises, fruits du rosier, prunes et raisins — peuvent constituer sa nourriture principale. Les œufs, les oiseaux, les poissons tués durant l'hiver, les carcasses de cerfs, les bourdons et les sauterelles figurent également sur sa liste, qui est d'une variété étonnante. Les pêcheurs qui ramassent des vers de terre après une nuit de pluie font parfois face à un compétiteur inattendu. Quand il chasse le ver de terre, le renard roux écoute attentivement pour entendre le frottement de ses soies sur l'herbe mouillée.

En plus de ses techniques de chasse usuelles, soit le mulotage et la chasse à l'approche du lapin, le renard roux utilise deux méthodes de chasse très inhabituelles. Dans son livre *Les animaux révélés*, Desmond Morris écrit que des siècles durant, on a raconté l'histoire du renard rusé qui faisait le mort pour attraper les oiseaux venant se repaître de sa carcasse. Dans les bestiaires médiévaux, on représentait le goupil gisant sur le dos, les yeux clos et la langue pendante, laissant les oiseaux se rassembler autour de lui. Après avoir attendu jusqu'au dernier instant, le renard bondissait, attrapait les oiseaux et les dévorait. Tout le monde croyait que cette scène était une pure invention jusqu'à ce que, en 1961, un réalisateur russe capte sur pellicule ce comportement digne d'un tragédien. Au début, le film montre le renard couché dans l'herbe, immobile, les yeux fermés. Une corneille charognarde s'approche lentement, s'apprêtant à faire un festin. Soudain, le renard bondit, saisit la corneille, la tue et s'installe confortablement pour la manger. Les anciennes légendes sont peut-être plus près de la vérité que nous ne le pensons!

Le renard roux fait montre de la même intelligence quand il tend un leurre à un canard. L'éminent naturaliste et photographe de la faune nord-américain Leonard Lee Rue III décrit comment, au vu et au su des canards, un renard s'amuse avec un bout de branche au bord de l'eau. Curieux, les canards s'approchent pour voir ce qui se passe. Le renard s'ingénie à les ignorer. Peu de temps après, semblant se lasser de ce jeu, il disparaît dans les broussailles ou dans les roseaux. S'il y a des canards assez bêtes pour monter sur la rive voir de quoi il retourne, ils serviront de repas au renard. Cette méthode était si courante et si fructueuse, déclare Rue, que les chasseurs de la côte de la Nouvelle-Angleterre élevaient des chiens spéciaux, jaunâtres et de taille moyenne, et les entraînaient à attirer les canards près de la rive afin de pouvoir les tuer plus facilement.

Pour le renard roux, la chasse est le moyen de trouver sa ration de nourriture quotidienne, mais une fois par année elle prend un caractère encore plus urgent. Les renards roux s'accouplent au milieu de l'hiver, suivant un calendrier interne qui semble intimement lié à la longueur des journées. La date réelle d'accouplement change selon l'endroit. Par exemple, les renards du sud des États-Unis s'accouplent et mettent bas plus tôt que ceux du nord. En Australie, bien sûr, tout le processus est décalé de six mois.

Environ deux mois après l'accouplement naît une portée d'un à 13 renardeaux. Les deux parents s'occupent des petits avec, parfois, l'aide d'une « auxiliaire », habituellement une femelle d'une portée précédente. En prenant soin des petits avec lesquels elle a des liens de parenté, la jeune femelle contribue à assurer la continuité de sa lignée. Elle peut également profiter de l'abondante nourriture que les parents rapportent au terrier. Dans au moins un cas cité par J. W. Sheldon dans *Wild Dogs: The Natural History of the Nondomestic Canidæ*, une femelle qui n'avait pas de petits à elle éleva une portée de renardeaux orphelins de mère. D'après David Macdonald, dans les groupes nombreux, ordinairement seule la femelle dominante devient gravide et élève des petits. Les autres femelles sont en général amicales avec les petits, les gardent et dorment avec eux.

La recherche a démontré que les rapports sociaux entre renards roux sont plus courants et plus complexes que ce qu'on avait cru tout d'abord. Même s'ils chassent seuls, les renards roux passent souvent au moins une partie de la soirée à échanger des messages. Quand ils sont suffisamment près l'un de l'autre, ils communiquent par divers sons. Lorsque deux renards se rencontrent, on peut entendre des plaintes, des cris perçants et une variété de sons graves et gutturaux. La nuit, l'air vibre des longs échanges entre les partenaires d'un couple, surtout durant la période hivernale des amours.

Les renards roux ont un système complexe de marquage à l'odeur de leur territoire qui avertit les autres renards aussi efficacement qu'un écriteau. Le mâle et la femelle qui patrouillent la nuit s'arrêtent fréquemment pour imprégner de leur urine ou de leurs fèces certains éléments du paysage, comme un poteau de coin de clôture, une souche, une roche ou même une touffe d'herbe particulière. S'il se trouve sur le territoire d'un congénère, le renard roux urine beaucoup plus souvent, soit parce qu'il veut avertir l'occupant de sa présence, soit parce qu'il se sent mal à l'aise étant donné qu'il empiète sur les plates-bandes d'autrui. Les renards voisins semblent capables de reconnaître leurs marques odorantes réciproques. En laissant des messages pour délimiter leur territoire, ils indiquent clairement leurs droits de propriété, ce qui évite de violents combats. De cette façon, les membres de groupes vivant à proximité l'un de l'autre peuvent consacrer leur temps et leur énergie à chercher de la nourriture et à élever leurs petits.

Le renard roux possède une série de glandes odoriférantes qui laissent d'autres messages aromatiques. Les subtilités du langage des odeurs du renard roux demeurent un mystère, même si on comprend en partie ses comportements de marquage et si on connaît la source des odeurs. Le renard a, sur le dessus de la queue, un secteur de peau glandulaire recouvert d'une touffe de poil noir. Cette glande, particulièrement visible sur la queue grise et laineuse des renardeaux, émet une fragrance qui rappelle les fleurs et qui est à l'origine du nom de « glande violette » qu'on lui donne. Les sacs anaux contiennent un liquide riche en bactéries que l'animal peut vaporiser sur ses excréments. Les chercheurs savent que les mâles vaporisent ce liquide odorant plus souvent que les femelles, mais ils ne savent pas pour quelle raison ni pourquoi ils le font seulement dans certains cas. Les renards roux ont également des glandes odoriférantes dans la peau, près du menton et à l'angle de la mâchoire, ainsi qu'entre les doigts et les coussinets plantaires de leurs pieds. L'odeur plaisante qui s'en dégage est celle que suivent les chiens de chasse.

Les chiens de chasse ne sont pas les seuls ennemis du renard roux. Celui-ci doit aussi se méfier de plusieurs ennemis naturels, dont le couguar, le lynx roux et l'ours. Le renard fait particulièrement attention quand un coyote est dans les parages, car ce dernier semble éprouver à son endroit une antipathie naturelle. A. B. Sargeant et S. H. Allan rapportent l'observation suivante faite par un chercheur. Deux coyotes faisant route ensemble dans un champ de foin tombèrent par hasard sur un renard. Ce dernier s'enfuit à toute vitesse. Les deux coyotes le poursuivirent et le tuèrent rapidement. Plus tard ce même jour, le chercheur trouva un autre renard fraîchement tué dont les blessures indiquaient qu'il avait aussi été victime des coyotes. Le fait que les renards n'avaient pas été dévorés indique que la relation typique prédateur-proie n'était pas en cause et qu'il devait s'agir d'autre chose. Le coyote considère peut-être le renard roux comme un compétiteur à éliminer.

Pour le renard roux comme pour toutes les autres espèces de renards, le sort est aussi imprévisible que le vent ou le temps. Il doit créer sa propre chance par son empressement à profiter de ce dont il dispose, son savoir-faire de chasseur et son habitude de se constituer des provisions pour parer au manque de nourriture. On ne fait pas souvent état de leurs succès et de leurs échecs individuels, mais leur réussite en tant que groupe ne fait aucun doute : encore ce soir, des renards se faufileront parmi les ombres.

PAGE CI-CONTRE : *Un campagnol fraîchement tué dans la gueule, ce renard roux s'arrête pour uriner. Les chercheurs qui observent ce type de comportement se demandent si ces marques odorantes servent à dire aux autres renards : inutile de chercher des campagnols dans le coin.*
DANIEL J. COX

PAGES 34-35 : *Minuscule chasseur solitaire dans l'immensité d'une plaine de glace et de neige, le renard arctique s'est adapté avec succès à l'un des environnements les plus exigeants de la planète. Grâce à leur faculté d'adaptation aux changements qu'apportent les saisons et aux fluctuations de l'approvisionnement en nourriture, les renards ont réussi à s'installer sur tous les continents sauf un et à vivre dans des habitats aussi différents que la forêt pluvieuse tropicale et les déserts côtiers.*
ART WOLFE

Chapitre 2 LES SAISONS DU RENARD ROUX

À deux heures à peine de chez moi s'étendent les bois et les lacs du parc national Prince-Albert. Ces lieux, qui ont vu grandir des générations de renards roux, à l'abri de la convoitise des trappeurs et des chasseurs, sont l'endroit idéal pour qui veut comprendre la vie de ces animaux. Les pages qui suivent reposent sur mes propres observations et sur celles d'autres personnes. À travers l'histoire d'une famille de renards roux, les lecteurs auront un aperçu des comportements typiques de cette espèce, tels qu'on a pu les observer partout dans le monde.

LE PRINTEMPS : UNE PÉRIODE DE RENOUVEAU

Dehors, le vent de mars mugit et la neige couvre encore le sol. Toutefois, au fond du terrier, auprès de maman renard, il fait chaud. La renarde a nettoyé et aménagé plusieurs terriers avant de fixer son choix sur celui-ci. Il répondait à ses besoins : plusieurs entrées et un sol meuble, facile à creuser, mais stable et bien drainé. Le couvert protecteur et l'eau sont tout près.

Fatiguée des efforts de la journée, elle se repose maintenant, pendant que ses cinq nouveau-nés tètent avec contentement. Ces petites boules de duvet gris à l'aspect laineux pèsent environ 110 grammes et ont à peu près la taille d'une taupe. Leur petite queue affiche déjà le bout blanc caractéristique de l'espèce. Les renardeaux naissent aveugles, vulnérables et dépendants de leur mère pour l'alimentation et la chaleur. Pour l'instant, la renarde passe la quasi-totalité de son temps auprès d'eux, laissant à son partenaire le soin de rapporter de la nourriture au gîte.

Une quinzaine de jours après leur naissance, les renardeaux ouvrent les yeux sur un monde auquel ils commencent très vite à s'intéresser. La renarde se remet à chasser, débusquant souris et campagnols dans les hautes herbes des alentours. Elle revient au terrier par intervalles pour jouer avec ses petits, de même que pour les allaiter et voir à leur toilette. Son lait est à peu près trois fois plus riche que celui de la vache, et les renardeaux se développent bien.

PAGE CI-CONTRE : *Ces jeunes renards roux dorment profondément, rassurés par l'odeur et la chaleur de leur mère. Selon David Macdonald, les renardeaux nouveau-nés auraient bien du mal à survivre sans la couette isolante que leur fournit la renarde. Cela est particulièrement vrai aux limites nord de l'aire de répartition des renards roux, là où les petits viennent au monde alors que la terre est encore couverte de neige.*

DANIEL J. COX

CI-DESSUS : *Âgé de deux jours*
seulement et encore aveugle, ce
jeune renard roux affiche le petit
bout de queue blanc qu'il portera
toute sa vie.

LEONARD LEE RUE III

La femelle passe plus de temps que son partenaire aux abords du terrier. Aujourd'hui, comme elle le fait chaque fois qu'il revient de la chasse, elle lui fait une fête, s'accroupit et agite la queue au-dessus de son dos. Dans sa hâte à répondre à cet accueil, le nouvel arrivant laisse tomber son lot de campagnols et doit tout récupérer avant de reprendre sa marche vers le terrier. Même si les petits ne sont pas prêts à se nourrir d'aliments solides avant l'âge d'environ un mois, c'est avec avidité qu'ils saisissent la viande entre leurs petites dents. Ils en sucent les sucs, formant ainsi leur goût pour la viande fraîche de campagnol ou de lièvre.

Deux semaines plus tard, on voit poindre timidement un petit museau gris à l'entrée du terrier. Dans le langage des renards, tout semble dire : « La voie est libre ! » Les renardeaux culbutent au-dehors en vacillant sur leurs petites pattes. Ils sont maintenant âgés d'un mois, et leurs yeux bleus et ronds examinent le monde avec une curiosité insatiable. Aujourd'hui, ils sont timides et ne sortent qu'en présence de leur mère, mais avant longtemps ils commenceront à sortir seuls.

La renarde est visiblement très fatiguée. Son long manteau d'hiver décoloré au soleil perd ses poils par touffes ; cela lui donne l'air miteux. Elle porte aussi les traces de l'allaitement : les petites dents pointues des renardeaux lui ont laissé des lésions autour des tétines et arraché des plaques de poils sur le poitrail. Il est temps pour elle de sevrer ses rejetons. Elle s'allonge pendant que les petits essaient de téter. Frustrés de ne rien obtenir, ceux-ci tournent leurs espoirs vers le mâle. Ils agrippent des touffes de poils, sans résultat.

Les petits se nourrissent maintenant d'aliments solides, et la famille a établi une procédure de distribution de la nourriture rapportée au gîte. À une courte distance du terrier, le parent pourvoyeur, la gueule pleine de souris, émet un faible marmonnement pour appeler ses petits. Ceux-ci se précipitent au-dehors et accueillent le renard adulte par des courbettes et des battements de queue. Puis, l'un des renardeaux lèche et mordille les commissures des babines de l'adulte pour réclamer son repas. En règle générale, le premier petit qui s'approche est le premier nourri. Ainsi, en cas de pénurie, le plus fort de la portée aura la part la plus importante.

Toutefois, ce n'est pas tout de recevoir de la nourriture, il faut pouvoir la garder. Or, frères et sœurs se disputent âprement la nourriture, provoquant des joutes à l'issue desquelles un campagnol pourra se retrouver déchiré en deux. Les renardeaux dominants volent la part de leurs frères et de leurs sœurs moins agressifs sans que les parents interviennent. Ce comportement en apparence injuste est le fruit d'une évolution ayant pour but de préserver l'espèce. De cette façon, les renards les plus forts ont le plus de chances de survivre et de se reproduire.

Les renardeaux passent maintenant plus de temps à l'extérieur du terrier, et leur pelage gris anthracite passe graduellement au roux clair. Leur fourrure est toujours très douce, car on n'y trouve pas encore les longs jarres des renards adultes. Les renardeaux ne sont plus des nouveau-nés aux yeux bleus, mais des jeunes aux yeux dorés. Ils ont grandi et maîtrisent mieux leurs mouvements. Les jours allongent. Le mois de mai tire à sa fin, et les renardeaux vont bientôt vivre leur premier été.

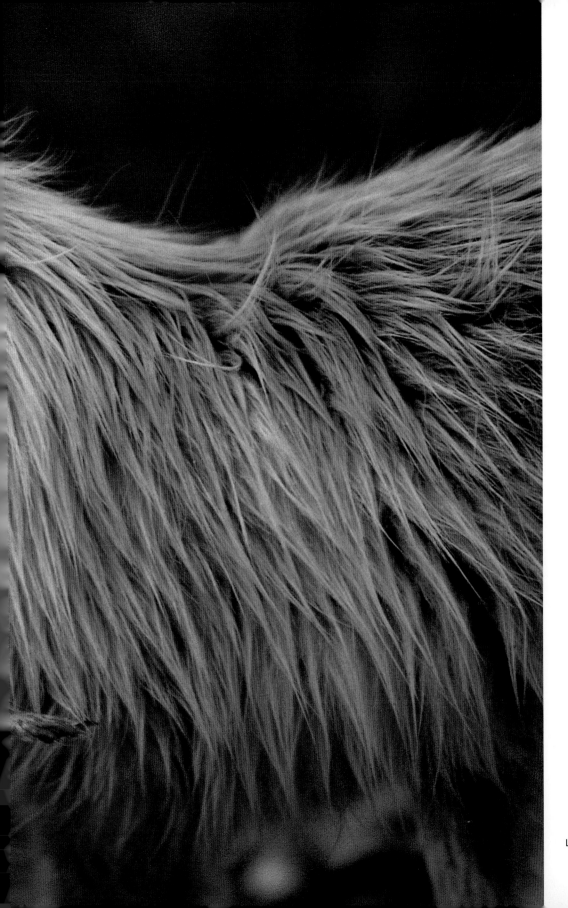

L'abondante récolte de spermophiles arctiques que rapporte ce renard roux sera appréciée par les petits affamés qui attendent son retour. À mesure que les renardeaux grandiront, leurs parents laisseront la nourriture de plus en plus loin du terrier pour les habituer à chercher leur nourriture. LEN RUE JR.

À GAUCHE : *Encore couverts de leur pelage anthracite de nouveau-nés, ces jeunes renards roux, qui en sont probablement à leurs premières escapades hors du terrier, sont curieux de tout.*
ALAN ET SANDY CAREY

CI-DESSUS : *«Mmmm, c'est bon!» Ce petit renard roux de six semaines semble trouver l'écureuil gris à son goût. Bien que le sevrage commence autour de la cinquième semaine seulement, les renardeaux ont souvent l'occasion de mâchonner et de suçoter de la nourriture avant cet âge.*
LEONARD LEE RUE III

CI-DESSUS : *Un jeune renard*
« croisé » — une variété de
coloration du renard roux, en fait
— mendie sa nourriture en
léchant les commissures de la
gueule de sa mère.
ALAN ET SANDY CAREY

À DROITE : *« Plus nous entrons*
en contact avec les animaux
et observons leur comportement,
plus nous les aimons, car nous
voyons combien ils prennent soin
de leurs petits. » — Le philosophe
Emmanuel Kant
TOM ET PAT LEESON

La curiosité l'emporte sur la
prudence chez ce jeune renard
roux qui se risque à aller voir de
plus près les créatures intéressantes
que sont les photographes postés
près du terrier familial. Les
renards adultes sont eux aussi
fascinés par la nouveauté. En
Amérique du Sud, le renard de la
pampa collectionne parfois des
objets, par exemple des morceaux
de tissu et de cuir. Victime d'une
chasse intensive, le renard de la
pampa est hélas aussi curieux
envers les êtres humains et peut
rester complètement figé quand
quelqu'un s'approche de lui.

ALAN ET SANDY CAREY

À GAUCHE : *Ce n'est qu'un simulacre de bataille, mais déjà ces petits renards roux établissent entre eux une hiérarchie sociale. On peut observer les mêmes comportements lorsque deux renards adultes se rencontrent.* DANIEL J. COX

CI-DESSUS : *Absorbé par l'examen de quelque petite bête, ce renardeau est sur le point de connaître un dur retour à la réalité! Sauter furtivement les uns sur les autres est, semble-t-il, l'un des jeux favoris des renardeaux.* DANIEL J. COX

L'ÉTÉ : UNE PÉRIODE D'ABONDANCE

La petite renarde concentre toute son attention sur l'herbe devant elle. Soudain, elle bondit sur sa proie, l'immobilisant avec ses pattes antérieures. Prudemment, elle soulève une patte pour jeter un coup d'œil dessous, et hop! surgit une sauterelle. La petite femelle reprend patiemment le jeu, poursuivant sa proie avec soin. Encore un bond, et cette fois le jeu se termine par un coup de dents expéditif.

Apprendre à chasser, voilà la principale occupation de l'été. Les renardeaux s'exercent à traquer leurs proies en poursuivant des insectes. Pendant ce temps, la renarde et son compagnon continuent de pourvoir à l'alimentation de leur marmaille en pleine croissance. Outre les habituels campagnols, souris et lièvres, les renards apprécient les petits fruits, parfois un oiseau, les reliefs du pique-nique d'un campeur et les restes d'un cerf victime de la route. Les parents s'éloignent de plus en plus longtemps et n'apportent plus leurs prises jusqu'à l'entrée du terrier. Ils les laissent plutôt à une certaine distance, afin d'inciter les renardeaux à rechercher leur nourriture. De leur côté, les petits perfectionnent leur technique de mulotage, et leurs sauts gagnent en assurance et en coordination. Ils happent et croquent régulièrement des coléoptères et des sauterelles, de sorte que les insectes deviennent une part importante de leur régime alimentaire.

Bien qu'ils n'en soient pas conscients, ce premier été sera la période la plus insouciante que les renardeaux connaîtront jamais. Ils ont le ventre bien plein, ils passent leurs chaudes journées comme leurs soirées fraîches à jouer, et ils donnent l'impression d'être toujours en mouvement. On les entend pousser de petits grognements alors qu'ils participent à d'inlassables bousculades, mais ils s'arrêtent parfois avec un brusque jappement lorsque de petites dents pointues ont mordu trop fort.

Si un renardeau ne trouve personne avec qui partager ses jeux, il prendra n'importe quoi pour s'en faire un jouet. Ainsi, un morceau de bois sera vaincu après une attaque de mulotage et quelques secousses violentes. Près de là, un papillon virevolte tout juste hors de la portée d'un autre renardeau occupé à l'observer avec une concentration qui le fait presque loucher. Fatigué de s'amuser seul, le renardeau au morceau de bois laisse tomber son jouet et s'approche subrepticement de sa sœur endormie. Il n'a pas fait le moindre bruit, et son attaque-surprise déclenche une course folle dans l'herbe, qui se transforme rapidement en un jeu où chacun des petits devient à tour de rôle le poursuivant et le poursuivi.

À mesure que les renardeaux grandissent, l'un des parents les entraîne dans de courtes expéditions de chasse. En suivant leurs aînés, les petits apprennent à chercher divers types d'aliments. Il arrive parfois qu'un adulte attrape un campagnol et le relâche afin de permettre aux renardeaux d'expérimenter leurs talents de chasseurs. Au début, le parent ramène ses jeunes au terrier, mais bientôt il les laisse revenir par eux-mêmes. Les renardeaux commencent à chasser de manière de plus en plus autonome, et leurs excursions loin du terrier s'allongent.

Pour les jeunes renards, ce sera bientôt la fin de l'été et des jeux. Bientôt leur été d'apprentissage sera soumis à l'épreuve, car ils se disperseront, quittant leur territoire familier pour chercher un endroit où s'établir.

PAGE CI-CONTRE :

Débordant d'énergie, un petit renard roux de deux mois gambade au soleil. Bien que l'été soit pour eux une période de jeu, les jeunes renards font, en s'amusant, des expériences qui s'avéreront d'une importance vitale lorsque viendra le temps de survivre par leurs propres moyens.

THOMAS KITCHIN

CI-DESSUS : *Un corbeau*
imprudent fera les délices d'une
famille de renards roux. Les
oiseaux et leurs œufs constituent
rarement une part importante du
régime alimentaire des renards,
sauf lorsque la concentration
d'oiseaux nichant au sol est telle
que ceux-ci deviennent une
ressource facilement accessible.
ERWIN ET PEGGY BAUER

À DROITE : *Quoi de mieux*
qu'une soirée d'été pour chasser des
insectes alléchants qui semblent
toujours cruellement inaccessibles ?
Lorsque les jeunes renards
apprennent à chasser, les insectes
peuvent représenter une part
substantielle de leur alimentation.
GLEN ET REBECCA
GRAMBO

L'AUTOMNE : UNE PÉRIODE DE CHANGEMENT

Maître renard trotte en bordure du chemin de gravier. À plusieurs reprises, il s'arrête pour écouter les bruits provenant des hautes herbes qui longent le chemin. Immobile, il écoute attentivement, jusqu'à ce qu'il ait localisé avec précision la source du bruit. Soudain, il s'élance, bondit comme un chat et atterrit sur une proie qu'il ne peut pas voir, cachée dans l'herbe haute, et qu'il retient dans le piège de ses pattes antérieures. Il avait raté son coup la dernière fois, mais cette fois-ci, il triomphe et lève la tête pour montrer à la ronde la souris qu'il tient dans sa gueule.

La matinée a été bonne pour le renard. Il a mangé tout son soûl de petits fruits et des campagnols. Aussi peut-il mettre cette souris dans une cachette pour la dévorer plus tard. La tenant toujours entre ses dents, il choisit minutieusement un site où il pourra creuser, avec ses pattes antérieures, un trou aux dimensions exactes de la souris. Il ne disperse pas la terre tout autour en creusant, comme le font les chiens : au contraire, il l'entasse soigneusement près du trou. Le renard laisse tomber la souris dans le trou, puis il pousse la terre petit à petit pour la recouvrir, tassant chaque fois la surface avec son museau. Un dernier petit coup de moustaches, et le trou disparaît, parfaitement camouflé dans le sol de la forêt.

On trouve des garde-manger comme celui-ci dans l'ensemble du territoire du renard. Un renard adulte a besoin chaque jour d'environ 500 grammes de viande ou l'équivalent et, lorsque les proies sont rares, il lui arrive de dépendre exclusivement du contenu de ses caches. Dans ces bois, des pies bavardes, des ours et des martres lui volent parfois ses réserves. Toutefois, ce sont les autres renards qui constituent la plus grande menace. Un renard doit mettre beaucoup de soin à cacher ses provisions supplémentaires s'il veut qu'elles soient toujours là quand il en aura besoin.

L'été est fini, et la famille renard se disperse. Les jeunes mâles sont les premiers à partir, poussés par le désir d'établir leur propre domaine et d'éviter la multiplication des conflits avec le père. Les jeunes femelles s'attardent quelque temps encore, puis elles quittent à leur tour le territoire familial. La renarde reste aux alentours, et le mâle relève les marques odorantes qu'elle a laissées sur une carcasse de cerf.

L'un des jeunes mâles poursuit son chemin plus loin que les autres. Le premier endroit où il songe à emménager est déjà occupé par un autre renard mâle qui a marqué son territoire de son odeur. Ces marques odorantes signifient que la place est prise. Le jeune renard l'a compris, et la nervosité le gagne. Il avance avec précaution et urine fréquemment. Brusquement, il se retrouve face à face avec le propriétaire légitime du domaine. Le plus âgé porte un coup rapide à son cadet, en émettant un son de gorge bas et rauque. Les deux adversaires roulent au sol dans un furieux corps à corps ponctué de coups de pattes et de dents. Dans un glapissement strident, le plus jeune saute enfin sur ses pattes et déguerpit, l'autre à ses trousses. La course continue jusqu'à ce que le poursuivant s'arrête, les poils

À l'automne, la famille renard se disperse. Les jeunes renards quittent le territoire familial et se mettent à la recherche d'un domaine bien à eux. La distance qu'ils doivent parcourir varie selon l'habitat et l'espèce, mais on a signalé certains trajets exceptionnellement longs. Ainsi, un renard roux a parcouru 500 kilomètres. Les trappeurs et les chasseurs concentrent leurs activités pendant cette période où les renards se trouvent sur un terrain peu familier et sont donc plus vulnérables.

ALAN ET SANDY CAREY

hérissés de colère, pendant que le jeune intrus s'enfuit à travers les bois. Il ne s'aventurera plus de ce côté.

Jusque-là, les jeunes renards n'ont eu aucun problème à trouver leur propre nourriture. Les insectes engourdis par les nuits fraîches deviennent des proies faciles. Les petits fruits sont encore nombreux et les petits rongeurs, abondants. Le jeune mâle aperçoit un lièvre d'Amérique et, sans hâte, se met à le suivre à la trace. Le ventre touchant presque le sol et les vibrisses frémissantes de concentration, il lève et repose chaque patte avec soin et précision, en prenant garde de ne pas faire le moindre bruit. Tout à coup, le lièvre le repère. Le renard est démasqué. Tous les deux amorcent une course effrénée, fendant les sous-bois à vive allure. La poursuite prend fin brutalement dans un cri lorsque le prédateur attrape sa proie et la tue. Après s'être rassasié, le jeune renard cache soigneusement les restes de son repas en plusieurs endroits pour y revenir plus tard.

Très tôt un matin, alors qu'une des jeunes renardes chasse près du lac, son flair l'avertit de la présence d'êtres humains aux alentours. Or, cette présence est souvent synonyme de nourriture. La jeune renarde s'approche pour enquêter. Lorsqu'elle arrive au campement, elle reste sans bouger, le museau levé pour bien capter les odeurs : pas de doute, il y a de la nourriture ici ! À pas feutrés, elle avance jusqu'à la table à pique-nique, sous laquelle elle découvre quelques miettes de croustilles. Il n'y a pas d'autre nourriture en vue. Elle pose ses pattes antérieures sur le banc et s'étire pour mieux voir : rien. Elle se glisse plus près de la tente et aperçoit quelque chose de blanc qui pointe sous l'auvent. D'un mouvement rapide, elle tire l'objet vers elle et l'examine.

Ce n'est pas de la nourriture, mais ça ne manque pas d'intérêt. La forme est celle d'un gros cylindre percé au centre et dont l'extérieur se détache par couches à mesure qu'elle le fait rouler sur le sol. La renarde attrape un bout du matériau dans sa gueule et s'éloigne en trottinant. Le papier hygiénique se déroule derrière elle en un long ruban. Voyant cela, la renarde commence à jouer pour de bon et ne s'arrête que lorsqu'elle entend du bruit en provenance de la tente. Elle décampe aussitôt, ratant l'expression ahurie des campeurs lorsqu'ils sortent la tête de leur tente et aperçoivent des traînées de papier hygiénique couvrant le sol.

Ce sont les derniers campeurs que la jeune renarde rencontrera cette année, car l'automne est avancé. L'air frisquet transporte les appels claironnants du wapiti, et les trembles qui se dressent sur les versants des collines ont revêtu leur parure dorée. Déjà, les premiers gels ont fait leur apparition et les formations d'oies tracent de larges V dans le ciel. La neige viendra bientôt, et les renardeaux devront subir la dure épreuve de l'hiver.

PAGE CI-CONTRE : *Étant très liés, les couples de renards jouent souvent ensemble pendant la période des amours. Ici, un renard roux mord gentiment sa partenaire. Cet animal habituellement solitaire profite de la période privilégiée des amours pour se faire à la présence d'un autre animal.*

ALAN ET SANDY CAREY

L'HIVER : UNE PÉRIODE DE SOLITUDE

La jeune renarde a chassé toute la nuit jusqu'à la première heure après l'aube. Rassasiée et fourbue, elle va maintenant se pelotonner et se reposer un peu. Elle enfouit son museau sous sa queue touffue et elle s'endort bien au chaud dans son luxueux pelage hivernal. Quand elle se réveille, de gros flocons de neige virevoltent dans le ciel gris et s'accumulent au sol par plaques. La renarde lève le nez pour sentir les flocons sur ses vibrisses, puis elle tente, sans trop de succès, d'en happer quelques-uns. Poursuivant ses expériences, elle lèche une plaque de neige dont l'odeur et le goût l'intriguent. Lorsqu'elle s'éloigne enfin à travers les bois silencieux, la renarde continue d'observer sa première chute de neige, ainsi que le tapis blanc qui prend forme autour d'elle.

Dorénavant, la chasse sera moins facile. Parmi les mammifères fouisseurs dont se nourrissent les renards, bon nombre sont à l'abri ou en hibernation. Les lièvres d'Amérique sautillent encore dans les bois et les campagnols empruntent des tunnels pratiqués sous la neige, mais les ressources disponibles sont l'objet d'une concurrence féroce. Car la martre, le pékan, la belette et le hibou convoitent les mêmes proies que le renard.

La technique de mulotage dont le renard s'est servi avec bonheur pour chasser dans les hautes herbes au cours de l'été lui est d'un précieux secours pour attraper ses proies dans la neige. À l'affût dans un sentier, le renard mâle incline la tête de côté, attentif. Il peut entendre les menus grattements d'un campagnol qui trottine le long de son tunnel. Le renard bondit puis plonge la tête et les pattes antérieures dans la neige, lançant à la ronde un nuage poudreux. Son effort est récompensé par la capture d'un campagnol bien gras, qu'il lance dans les airs et rattrape plusieurs fois avant de le croquer allègrement. La couverture de neige n'est pas encore très épaisse et le renard mâle n'a pas trop de difficulté à trouver sa nourriture.

Deux des renardeaux n'ont pas été aussi chanceux. Un des jeunes mâles est mort, frappé par une automobile alors qu'il pillait la carcasse d'un cerf victime de la route. Un autre a franchi les limites du territoire protégé du parc. Poussé par la faim, il a mordu à l'appât d'un piège. Trois des cinq renardeaux sont encore vivants.

Les deux jeunes femelles se portent bien. Leur habileté à chasser leur permet de ne jamais manquer de nourriture. Un jour, par grand froid, l'une d'elles regarde au loin juste au moment où une gélinotte huppée plonge dans un banc de neige pour y chercher un abri. Ne pouvant entendre les bruits extérieurs, l'oiseau ne perçoit pas l'approche discrète de la renarde, dont l'attaque le prend au dépourvu. Une brève éruption de neige mêlée de fourrure et de plumes, et le combat est terminé. Une gélinotte est un repas plantureux pour un renard. Après avoir mangé à sa faim, l'animal enfouit sous la neige les restes de son repas.

Le renardeau mâle survivant a finalement découvert un territoire inoccupé. Il en patrouille maintenant les limites lors de ses excursions de chasse. Il s'arrête très souvent pour laisser quelques gouttes d'urine sur les roches, les arbres, les monticules de neige et les anciennes captures, pour les marquer de son odeur, et il cherche soigneusement, chaque jour, les indices de la présence éventuelle d'intrus.

Dans l'ancien domaine familial, le renard et sa compagne se sont croisés quelquefois, mais sans beaucoup d'intérêt. Or, les choses commencent à changer. Une odeur fauve, rappelant celle de la mouffette, émane des marques odorantes laissées par les renards et emplit la forêt. Bientôt, quand le mâle et la femelle se rencontrent, ils cheminent ensemble pendant quelque temps. Au début, ils ne passent que de courtes périodes ensemble, mais dès le milieu de janvier ils ne se quittent presque plus. Ils se rapprochent et se câlinent fréquemment et s'appellent lorsqu'ils sont séparés.

Leurs amours s'accomplissent pendant la période la plus froide de l'hiver, au cours des quelques jours où la renarde est réceptive aux avances du mâle. Lors de l'accouplement, les deux partenaires ne peuvent se séparer l'un de l'autre pendant une quinzaine de minutes, car le pénis du mâle grossit, créant un « verrouillage » semblable à ce que l'on peut observer chez les chiens. La raison de ce phénomène est que, chez le renard, l'éjaculation dure plusieurs minutes. Le verrouillage empêche donc les partenaires de se séparer tant que l'éjaculation n'est pas terminée, ce qui augmente grandement les chances de fécondation de la renarde. Après s'être accouplés, les deux partenaires vont chacun leur chemin, tout en restant à l'intérieur des limites de leur domaine familial. Ils continuent d'y chasser et de marquer leur territoire.

Les trois renardeaux survivants, qui ne sont d'ailleurs plus des renardeaux, ont trouvé un ou une partenaire et un territoire bien à eux. Les jours rallongent lentement, et la glace des lacs commence à gémir et à se briser. Dans toutes les forêts nordiques, les renards roux se choisissent des terriers qu'ils préparent et nettoient. Et les traces de pas que les couples de renards laissent dans la neige sont la promesse d'une nouvelle vie et d'une autre année.

La vie du renard roux est courte et intense. Seule une minorité de renardeaux vit plus d'un an. En fait, rares sont les renards qui vivront assez longtemps pour célébrer leur quatrième anniversaire, particulièrement là où la chasse et le piégeage se pratiquent de façon intensive. Pourquoi cette portée a-t-elle connu un taux de survie relativement élevé? Sans doute parce que le parc offrait une protection contre le principal agent responsable de cette mortalité élevée : l'être humain.

À DROITE : *Les couples*
de renards aiment bien recréer
les jeux de bousculades de
leur enfance.
ALAN ET SANDY CAREY

PAGE CI-CONTRE :
Ce lièvre représente plusieurs repas
pour le renard qui, une fois repu,
enfouira les restes sous la neige.
Plus tard, le renard réussira à
retrouver sa cache en faisant
appel à sa mémoire tout autant
qu'à son odorat.
LEONARD LEE RUE III

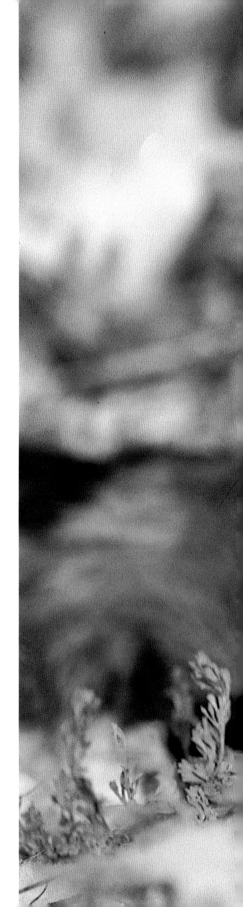

À DROITE : *Partenaires fidèles et parents dévoués, ces deux renards roux veilleront ensemble aux soins des petits qui naîtront de leurs amours de l'hiver. Si l'un d'eux vient à mourir, le survivant tentera vraisemblablement de pourvoir seul aux besoins de la famille.*
ALAN ET SANDY CAREY

PAGES 66–67 : *Le renard fait partie du folklore de bien des peuples partout dans le monde. En Laponie, on croyait que les aurores boréales étaient créées par les renards arctiques, comme celui-ci. C'est de cette contrée que provient la plus ancienne illustration connue d'une aurore boréale. Cette image montre une scène de chasse au renard, curieuse transposition signifiant que le renard est visible aux yeux du chasseur grâce à l'éclairage engendré par l'animal lui-même.*
WAYNE LYNCH

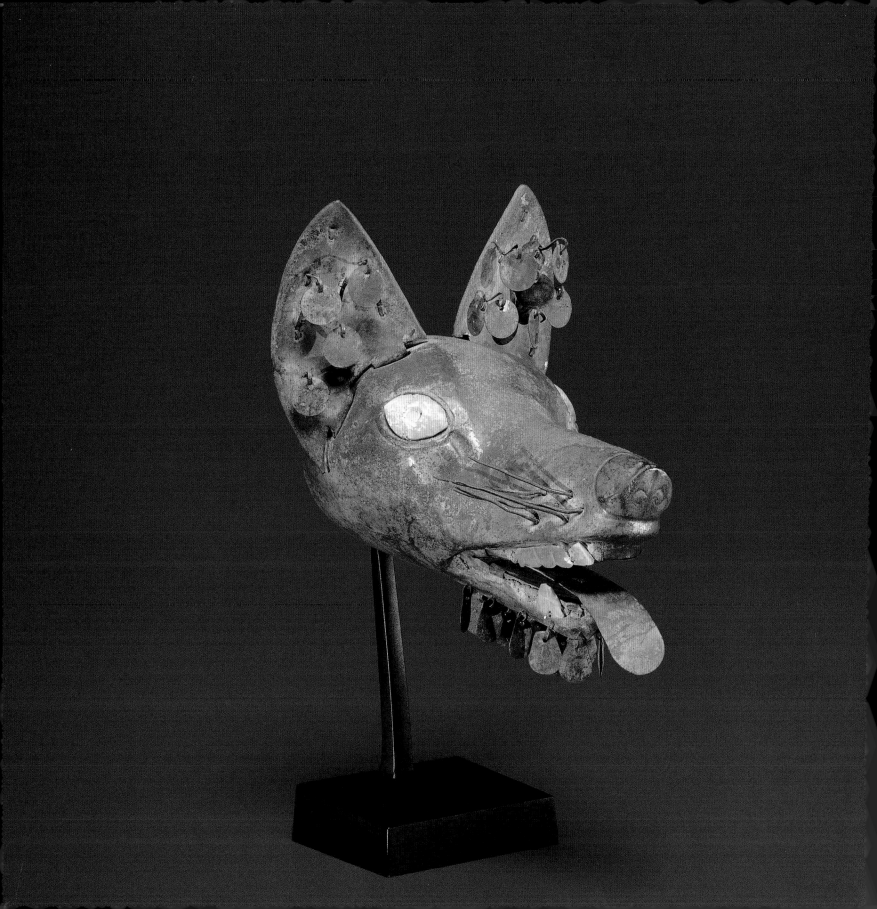

Chapitre 3

LE RENARD ET L'HOMME

LE RENARD, ANIMAL MYTHIQUE

La place du marché n'était que rumeur et fourmillement. Profitant de la confusion, un corbeau sans-gêne piqua vers un étal et, volant au passage un morceau de viande, alla se percher sur un arbre voisin. Un renard qui l'épiait le vit s'installer sur son perchoir et résolut de se rendre maître de la viande. Il se posta devant lui et, d'un ton flatteur, loua ses proportions élégantes et sa beauté. Nul n'était mieux fait que lui pour être le roi des oiseaux, roucoula le renard, et il le serait devenu sûrement s'il avait de la voix. Le corbeau, voulant lui montrer que la voix non plus ne lui manquait pas, lâcha la viande et poussa de grands cris. Le renard se précipita et, saisissant la viande, dit en ricanant : « Ô corbeau, si seulement tu avais aussi du jugement, il ne te manquerait rien pour devenir le roi des oiseaux ! »

— D'après la fable d'Ésope, *Le corbeau et le renard*

Ésope a raconté cette fable il y a plus de deux mille cinq cents ans. La morale, où le renard l'emporte grâce à son intelligence, est présente dans bien d'autres fables de cette époque. Les Grecs de l'Antiquité n'étaient pas les seuls à manifester de l'intérêt pour le renard, car celui-ci joue un rôle important dans la tradition populaire de la plupart des civilisations qui l'ont connu. On en a fait une créature fabuleuse et un être doté d'une grande intelligence et d'une grande ruse. On l'a aussi étroitement associé à l'attirance sexuelle et, comme bien d'autres animaux actifs surtout la nuit, aux forces du mal et à la mort.

Dans les légendes, le renard est souvent relié aux dieux et aux phénomènes célestes. En Finlande, on désignait les aurores boréales sous le nom de *revontulet*, « renard de feu ». La tradition orale raconte que les aurores boréales sont engendrées par le reflet de la fourrure d'un renard traversant les montagnes de Laponie. Au Japon, on vénère les renards, considérés comme les messagers de la bienveillante Uka no Mitama, déesse du riz dans la

PAGE CI-CONTRE : Cette tête de renard en cuivre et en argent merveilleusement ouvragée provient de la culture de la vallée de la Moche, en Amérique du Sud, et est datée d'environ 500 av. J.-C. Elle décorait vraisemblablement l'un des montants de la litière d'un dignitaire.
MICHAEL CAVANAGH ET
KEVIN MONTAGUE /
INDIANA UNIVERSITY ART
MUSEUM

religion shintoïste. Chez les Achumawi de la Californie, le mythe de la création raconte qu'un petit nuage est sorti du néant et s'est condensé pour former Renard argenté. Puis, Coyote est sorti d'un brouillard. Renard argenté et Coyote ont préparé ensemble la Terre pour la venue du premier peuple, après quoi ils sont disparus avant que celui-ci arrive.

La tradition populaire de nombreuses cultures fait état de la capacité du renard de prendre une forme humaine, habituellement celle d'une belle jeune femme. Par exemple, la légende de la « mystérieuse ménagère » est présentée, avec de légères variations, chez les Indiens d'Amérique du Nord, les Inuits du Groenland et du Labrador et les Koriak du nord-est de la Sibérie. Cette légende raconte qu'un chasseur solitaire rentre chez lui un soir et trouve sa maison propre et son repas qui mijote. Il découvre bientôt qu'une renarde se rend chez lui chaque matin, ôte sa peau et devient une magnifique jeune femme. Il l'épouse et ils sont très heureux, jusqu'au jour où l'homme se plaint de la présence de relents fauves dans la demeure. Offensée, l'épouse réintègre sa peau et sa forme de renarde, et elle s'enfuit.

D'autres légendes portant sur la métamorphose des renards, particulièrement les légendes asiatiques, dépeignent une créature plus sombre et plus terrifiante. Bien que le renard joue un rôle de messager divin au Japon, les légendes de ce pays décrivent également des renards malveillants dont le rôle est de hanter et de posséder les gens. En Chine, les renards étaient des démons. Ils se transformaient en jeunes hommes et en jeunes femmes d'une grande beauté, qui séduisaient des personnes du sexe opposé pour ensuite consommer lentement l'essence de leur victime et prolonger ainsi leur propre vie. Les Chinois croyaient que les renards survivaient à une succession de victimes et qu'ils pouvaient vivre de cette manière pendant huit cents ou mille ans.

Renart le goupil, héros du *Roman de Renart*, est l'un des grands personnages de la tradition médiévale européenne. Ses exploits, basés sans doute sur des interprétations erronées de certains comportements observés chez le renard, ne sont que vol, fraude, enlèvement et meurtre. Au terme de sa folie criminelle, sire Renart reste impuni. Bien plus, Noble, le roi lion, le nomme régent du royaume en raison de l'intelligence qu'il a démontrée.

Comme l'indiquent ces récits, un mélange de respect, de crainte et de méfiance caractérise la relation que les humains ont entretenue avec les renards à travers l'histoire. En ajoutant à ces représentations mythiques l'intérêt sportif des chasseurs, la recherche du profit des trappeurs et les craintes des éleveurs pour leurs animaux, on peut commencer à comprendre qu'une campagne de persécution ait été menée contre cette espèce depuis si longtemps.

Gibier, animal à fourrure ou animal nuisible, certains de ces trois aspects prédominants se retrouvent partout où vivent les renards, peu importe l'espèce. Les renards sont également bien connus comme vecteurs de la rage, une maladie fatale pour les animaux et pour les êtres humains. À ce titre, ils ont eu droit à une attention considérable tant en Amérique du Nord qu'en Europe. Les tentatives d'exploitation ou d'extermination des renards ont été nombreuses et variées. Leurs conséquences ont souvent dépassé l'objectif visé. Cela nous invite à réfléchir sur nos rapports passés et à venir avec les renards et avec les autres animaux.

PAGE CI-CONTRE : *Cette pose confère au renard roux un petit air rusé tout à fait conforme à sa réputation.*

ALAN ET SANDY CAREY

LE RENARD, ANIMAL GIBIER

Dans un survol historique portant sur la chasse au renard, David Macdonald note que la plus ancienne référence spécifique à ce sport date du IVe siècle av. J.-C., mais les renards ont été la proie des chasseurs bien avant cela. Il y a deux mille ans, Alexandre le Grand pratiquait déjà la chasse au renard à titre de divertissement. Un sceau daté de la même époque montre un cavalier perse se préparant à transpercer un renard de sa lance. Les Romains chassaient le renard en 80 av. J.-C. Pendant des siècles, les chasseurs d'Europe occidentale ont considéré le renard comme un gibier de second ordre. Toutefois, en 1420, avec la publication d'un ouvrage intitulé *The Master of Game*, par le duc Édouard d'York, deuxième du nom, on a vu cet animal accéder au rang de gibier digne de la chasse royale.

La chasse à courre a connu une popularité énorme, particulièrement en Grande-Bretagne, où ce sport s'est développé au point de devenir une véritable institution, modelant les lois et le paysage. Alors que le renard n'était encore qu'un gibier secondaire, Henry VIII a fait réserver de vastes terres dans les limites de la ville de Londres, de façon à pouvoir chasser à proximité du palais. On a un indice flagrant du pouvoir que détenaient les veneurs au moment de l'inauguration du pont de Westminster, en 1750. Dans son ouvrage consacré au renard, Macdonald relate que le deuxième duc de Bolton, fatigué de devoir faire un long détour par le pont de Londres pour se rendre de son château, situé du côté nord de la Tamise, au territoire de chasse du roi situé au sud, a mené une campagne auprès des membres du parlement pour réclamer la construction d'un nouveau pont, et qu'il a eu gain de cause. On a également adopté des lois sur la gestion du territoire afin de créer des enclos favorables à la chasse au renard et de préserver son habitat. Et des clubs de chasse ont rétribué des fermiers pour qu'ils épargnent les terriers de reproduction.

À la même époque, dans les cercles allemands à la mode, on prisait une variante de la chasse au renard : le lancer du renard. Un gentilhomme et une dame de la bonne société tenaient étirée entre eux une étroite bande de filet vers laquelle on rabattait un renard courant à vive allure. Un « bon » lancer pouvait dépasser 7 mètres de hauteur. Auguste de Saxe, dit le Fort, était friand de ce jeu, et on raconte qu'il a tué 687 renards en une seule séance.

Des colons anglais éprouvant le mal du pays ont transporté partout dans le monde la tradition britannique de la chasse au renard. Ils ne se sont d'ailleurs pas contentés d'apporter avec eux leurs chevaux et leurs chiens de chasse ; ils ont également importé des renards. Les chasseurs vivant dans les colonies du sud de l'Amérique jugeaient que le renard gris indigène était un gibier de piètre qualité, car il grimpait aux arbres plutôt que d'offrir les chevauchées d'une chasse à courre digne de ce nom. On a expédié des renards roux d'Angleterre et on les a relâchés dans leur nouvel environnement. Là, ils se sont vite reproduits avec la population nordique des renards roux indigènes, ce qui a eu pour effet d'étendre le territoire du renard roux et de repousser celui du renard gris.

L'Australie n'abritait aucun renard avant l'arrivée des premiers spécimens, importés par bateau spécialement pour la chasse, en 1845. L'espèce ne s'est pas établie véritablement avant 1870, mais en 1893 le renard roux avait si bien colonisé ce nouveau continent qu'on instaurait le premier système de prime pour sa capture. Le succès du renard s'est traduit par de lourdes pertes au sein de la faune australienne indigène, mal équipée pour se défendre contre ce prédateur étranger. Le renard roux est au moins partiellement responsable de l'extinction de 20 espèces locales de marsupiaux et constitue encore aujourd'hui une menace pour de nombreuses autres espèces. Après des années d'application infructueuse de programmes de contrôle, les scientifiques australiens d'un centre coopératif de recherche sur le contrôle biologique des populations de vertébrés nuisibles tentent actuellement de mettre au point une méthode de stérilisation des renards. La Nouvelle-Zélande a échappé à ces problèmes à cause d'une loi de 1867 interdisant l'importation de renards. La Tasmanie a évité le pire lorsque, en 1890, deux renards roux ont été importés pour une chasse. Les deux renards ont cependant été capturés, et la Tasmanie est restée exempte de renards.

La chasse au renard est encore pratiquée de nos jours par des cavaliers en tenue écarlate, qui entretiennent une tradition vieille de plusieurs siècles. Le débat est vif autour de la question de la chasse au renard. Dans *Running with the Fox*, David Macdonald écrit :

> Bien sûr, le débat sur la chasse au renard défie le consensus, puisque des personnes différentes appliquent des valeurs différentes à chacun des facteurs en cause. Il n'existe pas d'unité standard qui pourrait nous permettre de faire la part des choses entre souffrances, haines, emplois, traditions culturelles, infrastructure rurale, et ainsi de suite. Les scientifiques et les économistes peuvent nous fournir des données pour nous éclairer, mais au bout du compte nos décisions reposeront sur des valeurs dont la portée déborde les limites de la science.

Bon nombre de ces valeurs relèvent de réactions émotives devant les renards. Ces réactions peuvent être extrêmes. Ainsi, l'auteur britannique Michael Chambers a une opinion bien arrêtée sur la manière dont nous traitons les renards :

> Dans un pays [l'Angleterre] qui se targue du titre d'«ami des animaux», les renards sont soumis à un certain nombre de pratiques fort déplaisantes : ils sont chassés à courre, chassés au fusil, [...] délogés par des terriers, et souvent maintenus, sans défense, pendant que les chiens les attaquent sauvagement. J'ai entendu des témoignages de gestes de cruauté gratuite dont l'atrocité défiait l'imagination. Cette créature gracieuse, intéressante et incontestablement utile à l'être humain est peut-être plus que toute autre le souffre-douleur du sadique et la victime de la tradition.

D'autres réactions sont plus ambiguës. Par exemple, Albert Pulling, maintenant âgé de plus de 80 ans et qui a été tour à tour garde forestier, biologiste de la faune à gibier et professeur, considère le renard roux à la fois comme un bel animal intelligent et comme une cible naturelle :

> Le premier renard roux adulte que j'ai tué, je l'ai aperçu alors que j'étais parti observer des écureuils. Mon fusil était chargé de plombs n° 6, mais il s'est approché à moins de 25 verges et je lui ai servi une volée de plombs bien drue. J'avais environ 13 ans. [...] Si vous chassez en pays de renards, particulièrement dans un territoire à renards roux, vous devriez profiter du contact avec cette créature magnifique et vraiment attirante.

Le débat sur la chasse au renard, à courre ou au fusil est loin d'être clos. Quant à moi, je comprends mal le plaisir que l'on peut éprouver à poursuivre, et parfois à tuer, un renard épuisé.

PAGE CI-CONTRE : *Admiré pour sa beauté, le renard est plus souvent considéré comme un animal à fourrure de belle valeur ou comme un prétexte pour pratiquer une activité sportive. Il peut également représenter une menace pour les humains et leur bétail. Ces points de vue ont souvent transformé la relation entre les humains et les renards en une guerre inégale.* STEPHEN J. KRASEMANN / VALAN

Le renard gris d'Amérique du Sud vit dans les plaines, les pampas et les montagnes de l'ouest de l'Amérique du Sud, de l'Équateur au Chili en passant par le Pérou. En 1950, on l'a introduit dans la Terre de Feu pour y contrôler la population de lièvres. Cette espèce de renards a été chassée intensivement pour sa fourrure et comme animal nuisible. Elle est maintenant considérée comme rare dans la plus grande partie de son aire de répartition. JEFF FOOTT

LE RENARD ET L'HOMME 77

LE RENARD, ANIMAL À FOURRURE

Les chasseurs sportifs ne sont pas les seuls à vouloir la peau du renard. Cette peau, ou plus précisément cette somptueuse fourrure, est le trophée que convoitent tous les trappeurs du monde. L'appât du gain est à l'origine de l'ouverture du continent nord-américain et de la transformation radicale des structures économiques et sociales de ses peuples indigènes. Dans un ouvrage intitulé *Company of Adventurers: The Merchant Princes*, Peter C. Newman décrit la perturbation qu'a entraînée, au sein de la culture inuit, la création de la Compagnie de la Baie d'Hudson:

> Avant l'arrivée de l'homme blanc, les Inuits se servaient peu de la fourrure du renard [arctique], la considérant comme trop fragile pour en faire des vêtements. Il se contentaient d'en faire des mouchoirs pour les mains ou pour le visage, sorte de Kleenex à fourrure, ou des garnitures pour les vêtements des enfants. Trop maigres, les membres postérieurs du renard, la partie la plus charnue de l'animal, fournissaient bien peu de viande.
>
> Les Inuits étant devenus dépendants des biens et des produits de l'homme blanc, le commerce du renard devenait pour eux essentiel. Cependant, peu nombreux sont ceux qui ont compris que le passage de la chasse au piégeage allait perturber leur société traditionnelle de manière fondamentale. [...] Ce virage du rôle de chasseur à celui de trappeur supposait un changement radical dans la conception que se faisaient ces peuples autochtones de leur propre valeur. Contrairement au piégeage, la chasse, et particulièrement la chasse au phoque et à l'ours blanc, était l'occasion pour le chasseur de donner sa juste mesure en tant qu'homme. C'était une activité digne et courageuse, par laquelle chaque famille célébrait les bontés de la nature. [...] Le piégeage du renard devait se pratiquer durant l'hiver, alors que sa fourrure avait la plus grande valeur, ce qui obligeait les trappeurs à délaisser en grande partie la chasse au phoque et la chasse au caribou. De cette façon, les Inuits durent non seulement changer leurs coutumes sociales, mais aussi acheter auprès de la Compagnie de la Baie d'Hudson les vêtements et les outils qu'ils avaient l'habitude d'obtenir comme sous-produits de la chasse au phoque et au caribou.

Dans leur livre intitulé *Animal Welfare and Human Values*, Rod Preece et Lorna Chamberlain soutiennent que le commerce des fourrures a aussi miné les valeurs spirituelles des autochtones:

> La culture autochtone traditionnelle reposait sur un modèle de subsistance basé sur la chasse et la pêche et propre à assurer la nourriture et le vêtement. Avec la traite des fourrures, ce modèle a basculé, et on a commencé à chasser les animaux en vue du troc de leur fourrure. On a cessé d'utiliser l'animal en entier. Le respect des Amérindiens envers les animaux qu'ils chassaient a été amoindri par la pratique commerciale dans laquelle ils étaient désormais engagés.

Des fourrures de renards roux des variétés rousse et argentée sont suspendues par ballots à un poste de traite, comme elles l'étaient sans doute il y a bien des années, au moment où le commerce des fourrures jouait un rôle moteur dans l'ouverture du continent nord-américain. GLEN ET REBECCA GRAMBO

Condamné par sa beauté, cet
animal connu pour sa ruse finira
au milieu d'un ballot de fourrures
semblables à la sienne, à moins
qu'il ne réussisse à s'échapper en
se rongeant la patte. Dans ce cas,
la faim ou l'infection achèvera
ce que le piège aura commencé.
WAYNE LYNCH

Historiquement, le massacre des renards pour leur fourrure a procuré des revenus à un très grand nombre de personnes. D'ailleurs, la réponse à la demande mondiale de fourrure de renard représente encore une grosse entreprise.

Entre 1821 et 1891, le nombre moyen de renards roux tués annuellement pour leur fourrure en Amérique du Nord a été d'environ 74 000, soit 5 millions de renards en 70 ans. Dans l'ex-Union soviétique, plus de 17 millions de renards roux sont morts en 35 ans, de 1924 à 1958. Environ 370 000 renards gris ont été tués aux États-Unis au cours de la saison de piégeage 1979-1980, et E. K. Fritzell déclare qu'une proportion atteignant la moitié de la population des renards gris du Wisconsin est «récoltée» chaque année. Dans le monde, on tue en moyenne 100 000 renards arctiques par an. Selon R. A. Garrott et L. E. Eberhardt, la situation dure depuis plus de 100 ans, ce qui représente au moins 10 millions de renards arctiques tués pendant cette période. Ces chiffres ne comprennent que les renards prélevés pour leur fourrure et ne tiennent pas compte des milliers d'animaux tués pour le sport ou comme animal nuisible. Quand on regarde ces chiffres, on est tenté de se demander comment il se fait qu'il reste encore des renards.

La réponse réside dans le fait que certaines espèces de renards sont extrêmement résistantes à ce genre de pression. Lorsqu'il y a moins de renards, il y a plus de nourriture et plus de territoires disponibles pour les survivants. Le renard roux, le renard gris et le renard arctique réagissent tous trois à l'augmentation de la mortalité par une augmentation de leurs portées. Par conséquent, on peut établir une corrélation entre le prix de la fourrure et le nombre de petits par portée, car les renards tendent à réagir à une pression croissante du piégeage lorsque les prix sont élevés. Il y a bien sûr des limites à une telle capacité, et toutes les espèces de renards ne sont pas aussi tenaces.

Par exemple, bien que le renard véloce n'ait jamais été parmi les espèces de renards les plus chassées pour leur fourrure, son déracinement au Canada, comme son déclin spectaculaire en d'autres endroits, a été causé en partie par la pression du piégeage. Entre 1853 et 1877, les registres de la Compagnie de la Baie d'Hudson indiquaient des prises moyennes de 4 876 renards véloces par année (117 025 peaux au total), même si cette fourrure n'est pas jugée de première qualité. Plus récemment, M. A. Mares et D. J. Schmidly affirmaient que le renard gris d'Amérique du Sud (*Pseudalopex griseus*) a été chassé pour sa fourrure avec tant d'acharnement depuis les années 70 que les populations sont estimées au cinquième de ce qu'elles étaient avant 1970. David Macdonald et Geoff Carr rapportent qu'en 1975 l'Argentine a exporté environ 200 000 peaux de renards gris d'Amérique du Sud. En 1978, ce nombre avait plus que quadruplé et le nombre de peaux de renards de cette espèce qui quittaient le pays atteignait presque un million. Cette espèce est maintenant protégée en Argentine, mais la loi est si peu appliquée que l'espèce est en voie d'extinction. Comparée à son voisin, le Chili, l'Argentine est un gros exportateur de peaux de renards. De 1975 à 1979, le Chili en a exporté 1 746. Pendant la même période, l'Argentine en exportait 3 612 459, ce qui revient à exterminer près de 1,3 renard au kilomètre carré! Le renard gris d'Amérique du Sud, le renard de la pampa (*Pseudalopex gymnocercus*) et le colpeo (*Pseudalopex culpæus*) font partie de la liste de l'Annexe II préparée

par la Convention on International Trade in Endangered Species (CITES). Cela signifie qu'ils risquent de disparaître si on ne limite pas le commerce de leur fourrure.

Le piégeage est une méthode de cueillette de la fourrure qui demande beaucoup de travail et dont le succès dépend des caprices de la nature. Le trappeur doit se rendre dans l'habitat des renards et espérer que ce sera une année d'abondance. On a pensé qu'il serait nettement plus efficace de réunir les renards dans un même lieu accessible, où on pourrait les capturer et les tuer aisément. De nos jours, on élève donc des renards en cage dans des fermes modernes, ce qui permet de mieux planifier la reproduction, l'alimentation et l'abattage des renards. Cependant, l'élevage du renard est loin d'avoir toujours ressemblé à ce modèle.

Vers 1830, la Compagnie russo-américaine s'est mise à relâcher des renards dans diverses îles au large de l'Alaska. On pouvait difficilement trouver un meilleur plan pour s'enrichir. Ces îles, qui n'avaient pas connu les renards, abritaient d'importantes populations d'oiseaux de mer qui y nichaient et qui fournissaient aux renards une provision alimentaire facilement accessible. Les entrepreneurs abandonnaient les renards à leur sort et retournaient sur place chaque année pour en abattre quelques-uns. Lorsque le prix des fourrures de renards atteignit un sommet, au cours des années 20 et 30, on lâcha des renards roux et des renards arctiques dans à peu près toutes les îles comprises entre les îles Aléoutiennes et l'archipel d'Alexandre. Les éleveurs découvrirent bientôt que, là où ces deux espèces cohabitaient dans la même île, le renard roux éliminait le renard arctique, ce qui réduisait le profit. Les décennies 30 et 40 sonnèrent le glas de cet « élevage » insulaire, l'action conjuguée de la Grande Dépression et de la Seconde Guerre mondiale ayant fait chuter le marché de la fourrure à son niveau le plus bas.

La vision étroite des promoteurs de cet élevage insulaire a laissé un triste et durable héritage. Des populations d'oiseaux de mer qui venaient se reproduire dans ces îles ont été éradiquées par l'introduction des renards. La population de bernaches du Canada nichant aux îles Aléoutiennes a frôlé l'extinction par suite de la prédation des renards, et aujourd'hui son aire de reproduction se résume à une seule petite île. En 1987, Christopher Lever écrivait qu'une étude portant sur plus de 100 îles peuplées de renards, au sud de la péninsule d'Alaska, mentionnait l'absence complète d'oiseaux de rivages nocturnes.

On ne fait plus l'élevage des renards dans des îles isolées. Dorénavant, les renards sont élevés en cage, dans des fermes ou « ranchs ». L'industrie de la fourrure a mené une vaste campagne d'image contre les opposants au piégeage, et elle offre maintenant une solution moins cruelle : des vêtements fabriqués à partir d'animaux de ranchs. Environ 24 pour cent des manteaux de fourrure confectionnés au Canada et aux États-Unis sont faits avec des peaux d'animaux d'élevage.

Les fermes d'élevage, comme d'autres entreprises commerciales, ont pour but de générer des profits. C'est pourquoi les méthodes employées maximisent la production et réduisent les coûts au minimum. Pour ménager l'espace, on garde souvent les renards roux et les renards arctiques dans des cages mesurant moins d'un mètre carré et contenant entre un et quatre animaux chacune. Ainsi à l'étroit, les renards se livrent parfois au cannibalisme. Au bout d'environ neuf mois, les renards sont mis à mort au moyen de méthodes qui ne risquent pas d'endommager leur belle fourrure. Ordinairement, deux préposés maintiennent l'animal au sol, et l'un d'eux fixe une plaque électrique à la lèvre de l'animal pendant que l'autre insère une sonde dans l'anus du renard. L'animal est électrocuté par le passage d'un courant qui lui traverse le corps. Il peut aussi être empoisonné à la strychnine ou gazé par l'échappement d'un véhicule. Il n'est pas du tout certain que l'élevage des animaux à fourrure soit une méthode plus humaine que le piégeage.

Nous avons appris à augmenter les profits en élevant les renards en cage plutôt que dans des îles, mais il semble que nous soyons passés à côté d'une leçon pourtant évidente : les écosystèmes fermés sont particulièrement vulnérables lorsqu'on introduit des animaux venant d'ailleurs. L'élevage des renards roux de coloration argentée augmente en Islande, ce qui fait planer le grave risque d'introduction d'un prédateur non indigène dans un pays où des êtres humains essaient par ailleurs, depuis 700 ans, d'éliminer le seul mammifère terrestre indigène présent, soit le renard arctique, en raison de sa nature de prédateur. Tous les éleveurs de volaille connaissent bien la difficulté de maintenir des renards derrière des barrières inviolables. Qu'arrivera-t-il aux populations animales indigènes, notamment au renard arctique, si un nombre suffisant de renards roux s'échappent et forment une population qui se reproduise ? Qui expliquera aux fermiers qu'ils sont maintenant aux prises avec un prédateur plus grand et plus agressif ?

Ce renard arctique de coloration
dite bleue risque un coup d'œil
circonspect dans les rochers de son
domaine insulaire. On trouve plus
souvent cette variété de renard
arctique près des côtes.
L'accumulation de neige y étant
moindre, l'habituel renard
arctique de coloration blanche est
moins avantagé sur le plan du
camouflage. ART WOLFE

LE RENARD, ANIMAL NUISIBLE

La réputation de prédateur d'animaux de ferme du renard n'est plus à faire, et son image est habituellement bien reçue lorsqu'elle se présente dans le viseur du fusil du fermier. Quand il ne rôde pas autour des poulaillers et des bergeries, croit-on, c'est qu'il est occupé à capturer le gibier réservé à la table du chasseur. Cependant, quelle part de ces infamies lui est vraiment attribuable?

D'abord, tous les producteurs de céréales devraient accueillir les renards à bras ouverts, car ceux-ci consomment de grandes quantités de rongeurs, ces ravageurs de céréales. Le zoologiste Bernhard Grzimek rapporte même qu'on a trouvé un renard roux dont l'estomac contenait 48 campagnols! Toutefois, si à la ferme voisine on élève des moutons, on s'opposera peut-être à la présence de renards dans les pâturages.

Les fermiers éleveurs condamnent le renard sur la foi de preuves circonstancielles. Des renards aperçus aux abords de secteurs d'agnelage et de vêlage peuvent sembler chasser des proies vivantes, alors qu'ils sont habituellement à la recherche de placentas et d'animaux mort-nés. Les os de poulet ou la laine trouvés près du terrier d'un renard, tout comme les os de cerf que l'on peut y trouver, sont souvent les restes de charognes recueillies plutôt que les restes d'animaux que les renards ont tués eux-mêmes. Leonard Lee Rue III cite Paul Errington: «Le jambon fumé extrait d'un terrier de renard par des chasseurs de l'Iowa ne prouve aucunement que le renard ait tué le cochon.»

Bien que, selon certaines études, les animaux domestiques constituent en général une faible part du menu des renards, ceux-ci tuent indéniablement de la volaille. On les a vus capturer aussi des agneaux. Que ces méfaits soient le résultat de la détermination du renard ou des pratiques de gestion du fermier, cela reste à voir. Les poules qui picorent librement dans la cour de la ferme ou les agneaux affaiblis par les intempéries printanières sont une grande tentation pour un renard affamé. Devant le dilemme que représente une dure nuit de chasse ou un repas relativement facile, le renard opportuniste choisit la voie évidente. Comme la perte d'un seul agneau ou de quelques poules peut être lourde pour un fermier qui compte sur chacun de ses animaux pour assurer sa survie, le renard demeure un visiteur importun.

Les gens viennent à bout des renards de diverses façons. Je connais une ferme familiale où on élève des poules supplémentaires chaque année pour remplacer celles que les renards locaux voleront. Ces gens aiment observer les renards tout l'été et refusent de les chasser, c'est pourquoi ils ont adopté ce modus vivendi. Une autre famille vivant à quelques kilomètres de là aime aussi observer les renards qui reviennent chaque année dans le terrier creusé à proximité de leur maison. Et chaque année, ils abattent trois ou quatre de ces renards pour protéger leur basse-cour. Ils se disent réticents à le faire, mais ils sont d'avis que les renards et la volaille sont incompatibles, et c'est la solution qu'ils ont trouvée.

PAGE CI-CONTRE: *Ces jeunes renards semblent apprécier leur terrier, dont l'emplacement n'a pourtant rien de discret. Les renards roux s'adaptent mieux que bien d'autres animaux à la présence humaine. Ainsi, à Oxford, en Angleterre, on a vu un renard roux élire domicile au milieu du brouhaha d'un entrepôt d'usine affairé.* DANIEL J. COX

Si les fermiers sont inquiets pour leurs animaux, les chasseurs et les garde-chasse considèrent par ailleurs le renard comme un concurrent non souhaité pour ce qui regarde la capture du gibier. Dans le Dakota du Sud où j'ai grandi, le faisan de Colchide représente une ressource naturelle importante qui attire des chasseurs et des revenus dans l'État. Au cours des années 70, un groupe appelé Pheasants Unlimited («faisans illimités») aurait tué plus de 150 000 renards. Ce groupe aurait invité les membres de clubs de jeunes ruraux à accumuler des points, dans le cadre d'un «concours de réhabilitation du faisan», en prenant part à cette tuerie. Des massacres de ce genre sont loin d'être rares, bien que l'efficacité de l'exercice soit contestable, car les populations de renards se rétablissent rapidement et les territoires vacants sont vite occupés par d'autres renards.

En raison de facteurs susceptibles de compliquer la question, telles les pertes d'oiseaux dues à la maladie ou au mauvais temps, il est difficile de connaître exactement l'effet de la présence des renards sur les populations de gibier à plumes. Les oiseaux ne sont pas un élément fondamental de l'alimentation du renard. Celui-ci les chasse seulement lorsqu'ils sont très vulnérables ou que ses proies habituelles deviennent rares. Lorsque des oiseaux nichant au sol, ainsi que leurs œufs, sont abondants, et surtout lorsqu'ils sont concentrés dans des secteurs limités, il va sans dire que les renards saisissent l'occasion. Dans ce cas, le tribut payé peut être lourd. L'équipe du chercheur A. B. Sargeant a évalué que les renards roux ont capturé plus de 800 000 canards par année dans la région nord-américaine des prairies au cours du printemps et au début de l'été des années 1969 à 1973. Certains chercheurs ont considéré le renard roux comme le principal prédateur des canards et de leurs œufs dans cette région. Les œufs semblent un mets particulièrement apprécié des renards, et ces derniers en mettent souvent une grande quantité dans des caches pour les consommer plus tard. À l'échelle locale, les renards peuvent donc provoquer une réduction marquée du gibier à plumes, qui se retrouve alors moins nombreux à faire face au fusil des chasseurs.

En revanche, la conclusion générale de plusieurs autres études est qu'à grande échelle les renards ont peu d'effet sur les populations de gibier à plumes. Par exemple, des études sur les nids de gélinottes huppées de l'État de New York ont montré que 39 pour cent d'entre eux étaient détruits par des prédateurs et qu'une grande partie de ces pertes était attribuable au renard roux. Par contre, un programme de contrôle des populations de prédateurs n'a pas réussi à entraîner une augmentation des populations de gélinottes. Leonard Lee Rue III raconte par ailleurs qu'une population de faisans de Colchide établie dans une île du lac Michigan a connu une chute équivalente à celle des populations des régions environnantes, malgré l'absence de renards dans l'île. Il faudra continuer les recherches pour découvrir le rôle que jouent les renards, ainsi que d'autres prédateurs, dans le contrôle des populations de gibier à plumes.

Même en Islande, où la crainte de voir disparaître les colonies d'eiders a fait du renard arctique l'ennemi public numéro un, la recherche a démontré que, sans le renard, l'industrie du duvet ne serait pas aussi productive. Les chercheurs Päll Hersteinsson et Anders Angerbjörn décrivent les mécanismes qui, au tournant du siècle, ont entraîné une chute de

66 à 75 pour cent des récoltes de duvet, lorsque les renards arctiques ont disparu d'une partie de l'ouest de l'Islande. Au cours de la saison de l'accouplement, les eiders se sont dispersés sur un plus vaste territoire, sans doute parce que leur crainte des renards avait diminué. Les cueilleurs de duvet ont dû mettre plus de temps à rechercher les nids, et leurs profits ont été réduits. Les relations complexes entre les êtres vivants se prêtent rarement à des modèles simples d'analyse et de gestion.

La population de renards arctiques de la Scandinavie illustre le genre de résultats indirects que l'on risque d'obtenir quand on essaie d'appliquer des modèles réducteurs pour gérer la nature. Le renard arctique autrefois abondant est maintenant classé dans la catégorie des espèces en voie d'extinction en Norvège, en Suède et en Finlande, et il montre peu de signes de rétablissement. En fait, il y a près de six fois plus de renards arctiques en Islande, où on tire à vue sur eux, que dans l'ensemble des trois autres pays mentionnés, où ils sont protégés depuis plus d'un demi-siècle. Bien que le déclin initial de l'espèce découle probablement en partie du piégeage intensif, Hersteinsson et Angerbjörn croient que la véritable cause du problème est une campagne d'extermination dirigée contre un autre prédateur : le loup.

L'éradication des loups a eu deux conséquences graves pour le renard arctique. D'abord, les animaux tués par les loups, qui représentaient jusque-là, pour les renards, une source alimentaire de première importance, sont devenus beaucoup moins nombreux. En outre, l'absence des loups a laissé toute la place au renard roux. Or, ce dernier tolère nettement moins bien le renard arctique que le loup et il peut chasser hors du territoire son cousin plus petit. C'est ainsi qu'on a vu les renards roux envahir les secteurs où les renards arctiques avaient l'habitude de faire leurs terriers, s'en prenant même aux petits des renards arctiques. Ils ont aussi répandu des maladies parmi eux. On ne sait pas s'il y a encore quelque chose à faire pour permettre à la population scandinave de renards arctiques de se rétablir. La réduction draconienne de cette population ne faisait pas partie des conséquences attendues de la campagne d'extermination du loup. Mais, si elle s'est produite, c'est à cause d'un manque de compréhension. Nous apprenons lentement que l'élimination d'une espèce est rarement la solution à un problème. Elle crée souvent, au contraire, un nouvel ensemble de problèmes.

LE RENARD ET L'HOMME 93

LE RENARD ET LA RAGE

Le renard a été l'objet de campagnes d'extermination parmi les plus impitoyables que l'histoire ait connues. Le motif de ces massacres est que les populations naturelles de renards roux, de renards gris et de renards arctiques servent de réservoir au virus de la rage. Dans l'hémisphère nord, le renard roux est le principal vecteur de cette maladie et sa principale victime. La rage, qui s'attaque au système nerveux central, est l'une des plus anciennes maladies découvertes et l'une des plus redoutées. À moins d'être immunisées immédiatement, les victimes de la rage meurent dans des souffrances atroces. Chaque année, près de 25 000 personnes sont ainsi emportées. Dans le monde, des centaines de milliers d'animaux ont été tués et des millions de dollars provenant des fonds publics ont été dépensés en vue de l'éradication de la maladie. Il est difficile de saisir l'ampleur d'une telle bataille.

Par exemple, en 1952, en Alberta, une campagne destinée à enrayer la progression de la rage a fait appel à 180 trappeurs disposant chacun d'un sentier de piégeage de 50 kilomètres. On avait remis à ces trappeurs 6 000 capsules de cyanure et 429 000 cubes de strychnine. Pendant 18 mois, pas moins de 50 000 renards, 35 000 coyotes, 43 000 loups, 7 500 lynx, 1 850 ours, 500 mouffettes, 64 couguars, 1 carcajou et 4 blaireaux ont été tués. Pendant la même période, les fermiers participant à cette campagne recevaient 75 000 capsules de cyanure et 163 000 pastilles de strychnine, ce qui a entraîné la mort de 60 000 à 80 000 coyotes de plus.

Le résultat le plus évident de cet exercice a été une énorme augmentation du nombre de cerfs et d'orignaux, car le nombre de prédateurs n'était plus suffisant pour limiter ces populations. Un aussi grand nombre d'animaux herbivores a créé une trop forte pression sur la végétation des prairies, causant des dommages à long terme et réduisant la capacité de cet habitat à répondre aux besoins des grands fauves recherchés par les chasseurs. Ces dommages ont été beaucoup plus durables que le recul de la rage, laquelle s'est de nouveau répandue dès que les populations porteuses se sont rétablies.

En Europe, les campagnes de piégeage intensif, d'abattage au fusil et de gazage des terriers ont été monnaie courante pendant des années. En 1975, on estimait que 180 000 renards roux étaient tués chaque année dans l'ex-Allemagne de l'Ouest seulement. Des chasseurs subventionnés ont mené une campagne d'extermination alors que les divers pays tentaient frénétiquement d'endiguer la propagation de la maladie. Ce carnage a-t-il atteint son objectif? Pas du tout, à l'exception du Danemark.

Les tentatives pour contrôler la rage par une réduction importante de la population de renards roux ont échoué, pour plusieurs raisons. La première est la résistance de l'espèce. Les renards ont la capacité de subir des pertes énormes tout en maintenant des populations viables. Selon David Macdonald et Philip Bacon, l'élimination des individus a peut-être, en réalité, accru la propagation de la rage en brisant l'ordre social existant parmi les groupes de renards. En effet, cette situation a engendré un plus grand nombre de rencontres hostiles au cours desquelles de nouveaux sujets ont été infectés par morsure. Il fallait trouver une meilleure idée pour lutter contre la maladie.

En 1978, un randonneur traversant à pied la vallée du Rhône dans les Alpes suisses risquait d'avoir la surprise de trébucher sur une tête de poule. À titre d'essai, on avait disséminé dans la vallée des têtes de poules garnies de doses d'un vaccin antirabique, afin de stopper l'avance d'une vague de rage. Les scientifiques espéraient qu'en dévorant les appâts les renards seraient immunisés et formeraient une barrière vivante contre la maladie. Le plan s'est réalisé et l'espoir d'une nouvelle solution au problème de la rage a germé.

Les têtes de poules sont un appât quelque peu répugnant, en plus d'être difficiles à obtenir en quantité. C'est pourquoi les scientifiques ont mis au point une sorte de croquette pour renards à base de farine de poisson, de poudre d'os et de gras, renfermant un sachet de vaccin antirabique. Cet appât à vaccin a connu beaucoup de succès auprès des renards et, depuis 1983, on en a distribué plus de 5,2 millions. Dans les régions visées, plus de 70 pour cent des renards ingèrent l'appât et sont ainsi immunisés. Ces régions ne contiennent plus suffisamment d'animaux susceptibles de contracter la rage pour perpétuer la chaîne de transmission.

Aujourd'hui, la Suisse est pratiquement débarrassée de la rage, à l'exception de cas isolés, près des frontières. Le nombre de cas de rage rapportés diminue rapidement dans d'autres pays qui pratiquent cette forme de vaccination par voie orale. Au Canada, l'Ontario rapporte une chute spectaculaire des cas de rage chez les renards à la suite d'une campagne de vaccination basée sur la distribution d'appâts du haut des airs. Pour la première fois de l'histoire humaine, nous nous acheminons vers l'élimination d'une maladie présente chez les animaux en liberté, en faisant appel à une méthode autre que la tuerie.

UN REGARD VERS L'AVENIR

Dans la relation entre le renard et l'être humain, le rapport coûts-bénéfices défavorise largement le renard. Il arrive parfois que l'activité humaine soit profitable au renard. Par exemple, l'augmentation des habitats en bordure des forêts créés par le défrichement de terres boisées améliore les conditions de chasse du renard roux et du renard gris. Cependant, dans presque tous les autres cas, l'interaction de l'être humain avec le renard est directement et délibérément préjudiciable à ce dernier.

Michael Chambers écrit : « L'homme massacre les animaux qui l'entourent pour le simple plaisir de les voir tomber, pour tirer avantage d'activités tendant à satisfaire la vanité et les désirs parfaitement superficiels de ses semblables. » Le renard roux, le renard gris et le renard arctique sont rarement victimes de la chasse de subsistance, mais ils sont abattus en grand nombre à des fins de divertissement ou pour leur fourrure. Ces espèces de renards sont en mesure de supporter des taux de mortalité élevés et ne sont pas en voie d'extinction. Cela justifie-t-il que l'on continue la tuerie sans la remettre en question ?

Si nous tombons dans le piège et jugeons du bien-être des espèces à partir des statistiques sur leurs populations, nous risquons de nous soucier des animaux seulement lorsque leur situation devient désespérée et de valoriser la conservation d'une espèce en négligeant le bien-être de ses membres. L'abondance de renards roux rend-elle acceptable le fait qu'une portée de renards à grandes oreilles meure lentement d'inanition parce qu'un chasseur vient d'abattre la mère ?

La mort fait partie du cycle de la vie, constat souvent invoqué par les humains pour justifier le fait qu'ils prennent la vie des animaux. Ceux-ci meurent également dans la nature, bien entendu, et parfois de manière horrible, tués par d'autres animaux ou par les éléments naturels. La nature n'a pas de sens moral, cependant, et les animaux ne se vantent pas de leur éthique. On n'attend pas d'un renard qu'il ressente de la pitié lorsqu'il capture un campagnol, et nul ne songe à reprocher à la nature un quelconque manque de compassion si le même renard meurt d'une maladie.

Les humains ne peuvent réclamer d'être ainsi exemptés de la compassion. Lorsqu'un être humain ôte la vie à un animal, il devrait le faire pour répondre à un besoin véritable et non pour satisfaire un caprice. Nous, les humains, nous targuons de pouvoir penser et raisonner, et nous croyons que cela nous distingue des autres animaux. Et pourtant, il nous arrive trop souvent d'agir de façon irréfléchie et irrationnelle dans nos rapports avec les animaux. Tout cela se ramène à la valeur que nous accordons à la faune.

Bien des gens diraient que l'unique valeur du renard est celle à laquelle sa mort donne droit, lorsqu'il est devenu trophée de chasse ou fourrure à vendre. Vivants, les renards ont cependant une valeur réelle. Selon Emily et Per Ola D'Aulaire, à la suite de l'élimination systématique des renards du comté de Door, au Wisconsin, la population de souris s'est accrue de façon spectaculaire, et on a dû réintroduire des prédateurs. En consommant de

PAGE CI-CONTRE : Une matinée passée à observer les jeux de ces renardeaux n'a peut-être aucune valeur monétaire, mais la joie qu'en retire l'observateur est sans prix.
ALAN ET SANDY CAREY

grandes quantités de rongeurs, le renard et les autres chasseurs de petits mammifères réduisent les pertes agricoles et jouent un rôle dans le contrôle des maladies transmises par les rongeurs. Le renard rend également un service sanitaire non négligeable en éliminant la charogne. Comme l'affirme le chercheur H. J. Egoscue, les terriers de renards, tels que les vastes complexes du renard véloce, sont des écosystèmes en miniature. Ils assurent la nourriture, l'espace pour l'accouplement et la sécurité à de nombreuses espèces vivantes, parmi lesquelles la chouette des terriers, les araignées, les scolopendres et les coléoptères. Les terriers du renard arctique remplissent une fonction similaire pour ce qui est des plantes, car ils permettent la croissance d'herbes fourragères importantes, qui sont souvent absentes dans la toundra avoisinante. Comme toutes les espèces vivantes, le renard fait partie d'un ensemble équilibré et complexe qui ne résiste pas longtemps devant des tactiques de choc.

Les renards ont une autre valeur, plus difficile à décrire ou à quantifier. Elle relève du plaisir d'admirer un très bel animal, si parfaitement adapté à la vie qu'il mène. Quelle valeur peut-on attribuer à ces quelques moments privilégiés où il nous est permis de partager l'univers des renards ? Comment détermine-t-on le prix de la joie d'observer des renardeaux s'ébattre au soleil ? Leonard Lee Rue III écrit :

> Le plaisir esthétique pour quiconque entrevoit un renard roux qui vaque tranquillement à ses occupations de renard est inestimable. Le renard roux n'est ni bon ni méchant. Il est simplement un renard roux qui remplit admirablement la fonction pour laquelle il a été créé.

Le renard est une créature de l'ombre, redoutée et chassée tout au long de l'histoire. Il est une proie à poursuivre, une fourrure à vendre ou une menace à enrayer. Il est un parent généreux, un partenaire fidèle et un chasseur hors pair. Il est tout cela et bien d'autres choses qui demeurent encore un mystère. Toutefois, l'émotion qui m'envahit, lorsque par bonheur, je vois un renard traverser la forêt, telle une flamme scintillante, n'a rien de mystérieux. Puissions-nous ne jamais tenir pour acquise la magie d'un tel instant.

LES RENARDS AUTOUR DU MONDE

Les experts ne s'entendent pas sur la taxinomie des renards. J'ai choisi d'utiliser la classification résumée par J. W. Sheldon dans *Wild Dogs: The Natural History of the Nondomestic Canidæ*. Les données sur les aires de répartition sont tirées de la même source. Les noms français proviennent de *Grzimek's Animal Life Encyclopedia*.

ESPÈCES	NOMS COMMUNS	RÉPARTITION/COMMENTAIRES
Alopex lagopus	Renard arctique ; isatis	Occupe l'Arctique ou les régions de toundra de l'Amérique du Nord, de l'Eurasie, de la Scandinavie, du Spitzberg, du Groenland et de l'Islande, ainsi que de nombreuses îles de l'océan Arctique et des océans Atlantique et Pacifique Nord.
Atelocynus microtis	Renard à petites oreilles ; renard à oreilles courtes	Vit dans les bassins de l'Amazone, du haut Paraná et de l'Orénoque en Colombie, en Équateur, au Brésil, au Pérou et au Venezuela. Préfère les habitats de forêt tropicale, du niveau de la mer jusqu'à 1 000 mètres d'altitude. Seul canidé à occuper ce type d'habitat.
Cerdocyon thous	Renard crabier ; chien crabier	Vit au Brésil, à l'exception de la plaine du bassin de l'Amazone, et de la Colombie et du sud du Venezuela jusqu'au nord de l'Argentine et en Uruguay.
Fennecus zerda	Fennec ; renard des sables	Occupe les pays du nord de l'Afrique : Maroc, Algérie, Tunisie, Niger, Libye, Égypte et Soudan. Préfère les habitats désertiques et semi-désertiques. CITES, liste de l'Annexe II.
Otocyon megalotis	Otocyon	Deux populations : la première vit sur un territoire qui recouvre le Botswana, le sud de l'Angola et l'ouest de la Zambie et s'étend vers le sud jusqu'en Afrique du Sud. La seconde occupe la Somalie, l'Éthiopie et le sud du Soudan et descend jusqu'en Tanzanie. Préfère les environnements arides ou semi-arides.

Pseudalopex culpæus	Renard colpeo; colpeo; culpeo	Habite la côte ouest de l'Amérique du Sud. Son aire de répartition commence au sud de la Colombie et de l'Équateur, traverse le Pérou, l'ouest de la Bolivie, le Chili et l'Argentine et se rend jusqu'à la Terre de Feu. Préfère divers types d'habitats, dans un environnement qui va des régions arides aux régions semi-arides. CITES, liste de l'Annexe II.
Pseudalopex griseus	Renard gris d'Amérique du Sud	Vit au Chili et en Argentine, sous 25° de latitude Sud, dans les plaines et les basses montagnes du Chili, de l'Argentine et de la Patagonie. Introduit dans la Terre de Feu en 1950. CITES, liste de l'Annexe II.
Pseudalopex gymnocercus	Renard d'Azara; renard de la pampa	Occupe le centre-est de l'Amérique du Sud: le sud-est du Brésil, le Paraguay, l'Uruguay et le nord-est de l'Argentine jusqu'au río Negro au sud. La destruction de son habitat a chassé ce renard de certains secteurs de son aire de répartition initiale. CITES, liste de l'Annexe II.
Pseudalopex sechuræ	Renard du désert austral	Vit dans un secteur restreint des zones côtières du nord-ouest du Pérou, y compris le désert Sechura, et dans le sud-ouest de l'Équateur. Préfère les habitats arides.
Pseudalopex vetulus	Renard du Brésil	Occupe la partie centrale du Brésil: États de Mato Grosso, Goiás, Minas Gerais et Sïo Paulo. Préfère les habitats dégagés.
Urocyon cinereoargenteus	Renard gris	La limite nord de son aire de répartition est la frontière canado-américaine, à l'est et à l'ouest des Grands Lacs. Il est présent partout en Amérique du Nord, sauf dans la partie nord des Rocheuses, à l'extrémité nord du Grand Bassin et dans l'État de Washington. Son territoire couvre l'Amérique centrale et s'étend vers le sud jusqu'au Venezuela et en Colombie.
Urocyon littoralis	Renard gris insulaire	Vit dans six des îles Channel, au large de la côte sud de la Californie. Figure sur la liste des animaux « menacés » de cet État. Un peu plus petit que l'*Urocyon cinereoargenteus*, il possède deux vertèbres de la queue de moins.
Vulpes bengalensis	Renard du Bengale	Son aire de répartition couvre tout le sous-continent indien, de l'extrême sud jusqu'au Népal au nord, à l'État indien de l'Assam à l'est et au Pakistan à l'ouest. Il vit aussi dans les contreforts de l'Himalaya, jusqu'à 1 550 mètres d'altitude. Préfère les habitats broussailleux et dégagés.
Vulpes cana	Renard de Blandford; renard blanc	Aire de répartition peu documentée. Du nord-est de l'Iran jusqu'à l'Afghanistan et au nord-ouest du Pakistan. Vit aussi en Israël et au Sinaï; on rapporte que deux spécimens ont été vus dans le sultanat d'Oman. Préfère les habitats de steppe et de montagne. CITES, liste de l'Annexe II.
Vulpes chama	Renard du Cap	Vivait à l'origine partout dans le secteur ouest du sud de l'Afrique, dans les régions arides et semi-arides. Son aire actuelle de distribution inclut le nord de la province du Cap, le sud et le centre de la Namibie, le Botswana, le sud-ouest de l'Angola, le Zimbabwe et le Transvaal. Préfère les environnements arides et n'a jamais été aperçu dans des régions boisées.

Vulpes corsac	Renard corsac; renard des steppes	Largement répandu en Asie. Son aire de répartition part de la mer d'Asov, traverse la Chine et la Mongolie jusqu'aux steppes transbaïkaliennes et se rend jusqu'au nord de la Mandchourie. Quelques spécimens ont été vus dans le nord-est de l'Iran et dans le nord de l'Afghanistan. Préfère les steppes et les zones semi-désertiques.
Vulpes ferrilata	Renard du Tibet	Au Tibet et dans le district du Mustang, au nord du Népal. Vit de préférence sur les plateaux, dans un habitat de désert alpin, à 3 000 mètres d'altitude ou plus.
Vulpes macrotis	Renard à grandes oreilles; renard nain	Régions arides et semi-arides de l'ouest des États-Unis et du nord du Mexique, y compris la péninsule de Basse-Californie. Son aire de répartition américaine inclut l'extrémité sud-ouest de l'Oregon et s'étend vers le sud pour recouvrir des parties de l'Idaho, du Nevada, de l'Utah, de l'Arizona et du Nouveau-Mexique.
Vulpes pallida	Renard pâle; renard blond des sables	Son aire de répartition forme une large bande qui traverse les régions saharienne et subsaharienne. Cette bande part du Sénégal et de la Mauritanie sur la côte ouest et couvre le Mali, le Niger, le Nigeria, le nord du Cameroun, le Tchad et les régions du nord du Soudan.
Vulpes rüppelli	Renard de Rüppell; renard famélique	Régions arides du nord de l'Afrique, péninsule arabique et ouest de l'Asie. Extrêmement bien adapté à la vie dans le désert.
Vulpes velox	Renard véloce; renard du désert	Son aire de répartition initiale incluait une grande partie des plaines du centre-ouest de l'Amérique du Nord, à partir du Texas en remontant jusqu'aux prairies du sud du Canada. Ce territoire est maintenant restreint. Le Canada tente de réintroduire le renard véloce au moyen de programmes de rétablissement. Préfère les plaines dégagées et les prairies d'herbe courte et moyenne.
Vulpes vulpes	Renard roux; renard	Plus vaste aire de répartition naturelle de tous les mammifères terrestres après l'homme. Présent dans la plus grande partie de l'hémisphère Nord au-dessus de 30° de latitude Nord : partout en Asie, sauf à l'extrémité sud-est, en Europe, en Afrique du Nord et en Amérique du Nord jusqu'au centre du Texas. Introduit en Australie et dans certaines îles du Pacifique. La toundra forme la limite nord de son aire de répartition.

BIBLIOGRAPHIE

Les ouvrages suivants ont été des sources de référence importantes lors de la rédaction de ce livre.

Ables, E.D. (1975) « Ecology of the red fox in North America » *in The wild canids: Their systematics, behavioral ecology, and evolution.* Ed. M.W. Fox, p. 216-36, New York, Van Nostrand Reinhold.

Bacon. P.J., and D.W. Macdonald. (1980) « To control rabies: Vaccinate foxes ». *New Sci.,* N° 87 p. 640-45.

Barden, R. (1993) « Foxes » *in Endangered wildlife of the world.* p. 442-47, North Bellmore, NY, Marshall Cavendish.

Brechtel, S.H., L.N. Carbyn, D. Hjertaas and C. Mamo. (1993) « The swift fox reintroduction feasibility study 1989 to 1992 ». Unpublished report to Western Wildlife Directors.

Cahalane, V.H. (1961) *Mammals of North America.* New York, Macmillan.

Carbyn, L.N., H.J. Armbruster and C. Mamo. (1994) « The swift fox reintroduction program in Canada from 1983 to 1992 » *in Restoration of endangered species: Conceptual issues, planning and implementation.* Ed. M.L. Bowles and C.J. Whelan, p. 247-71, Cambridge, Cambridge University Press.

Chambers, M. (1990) *Free spirit.* London, Methuen London.

Chesemore, D.L. (1975) « Ecology of the arctic fox (*Alopex lagopus*) in North America — A review » *in The wild canids: Their systematics, behavioral ecology, and evolution.* Ed. M.W. Fox, p. 143-63, New York, Van Nostrand Reinhold.

D'Aulaire, E., and P.O. D'Aulaire, (1980) « The importance of being wily ». *National Wildlife,* N° 18, p. 24-28.

Durrell, G. (1961) *The whispering land.* London, Rupert Hart-Davis.

Egoscue, H.J. (1979) *Vulpes velox. Mamm. Spec.,* N° 122, p.1-5.

Ewer, R.F. (1973) *The carnivores.* Ithaca, NY, Cornell University Press.

Fox, M.W. (1975) *The wild canids: Their systematics, behavioral ecology, and evolution.* New York, Van Nostrand Reinhold.

Fritzell, E.K. (1987) « Gray fox and island gray fox » *in Wild furbearer management and conservation in North America.* Ed. M. Novak, J.A. Baker, M.E. Obbard and B. Malloch, p. 408-21, North Bay, ON, Ontario Trappers Association.

Fritzell, E.K., and K.J. Haroldson. (1982) *Urocyon cinereoargenteus. Mamm. Spec.,* N° 189, p.1-8.

Garrott, R.A., and L.E. Eberhardt. (1987) « Arctic fox » *in Wild furbearer management and conservation in North America.* Ed. M. Novak, J.A. Baker, M.E. Obbard and B. Malloch, p. 394-407, North Bay ON, Ontario Trappers Association.

Grzimek, H.C.B. (1975) *Grzimek's animal life encyclopedia,* N° 12, p. 243-54, 267-80, New York, Van Nostrand Reinhold.

Henry, J.D. (1986) *Red fox: The catlike canine.* Washington, DC, Smithsonian Institution Press.

Hersteinsson, P., and A. Angerbjörn. (1989) « The arctic fox in Fennoscandia and Iceland: Management problems ». *Biol. Conserv.,* N° 49, p.67-81.

Iriarte, J.A., and F.M. Jaksié. (1986) « The fur trade in Chile: An overview of seventy-five years of export data (1910–1984) ». *Biol. Conserv.,* N° 38, p. 243-53.

Kaplan, C., ed. (1977) *Rabies: The facts.* Oxford, Oxford University Press.

Macdonald, D.W. (1980) «Social factors affecting reproduction amongst red foxes (*Vulpes vulpes* L.), (1758)» *in The red fox: A symposium on behaviour and ecology.* Biogeographica, Vol.18. Ed. E. Zimen, p. 123-75, The Hague, Dr. W. Junk b.v. Publishers.

Macdonald, D.W. (1984) *The encyclopedia of mammals.* New York, Facts on File.

Macdonald, D.W. (1988) *Running with the fox.* New York, Facts on File.

Macdonald, D.W., and G. Carr. (1981) «Foxes beware: you are back in fashion». *New Sci.,* N° 89, p. 9-11.

McGrew, J.C. (1979) «Vulpes macrotis». *Mamm. Spec.,* N° 123, p. 1-6.

MacInnes, C.D. (1987) «Rabies» *in Wild furbearer management and conservation in North America.* Ed. M. Novak, J.A. Baker, M.E. Obbard and B. Malloch, p. 910-29, North Bay ON, Ontario Trappers Association.

Mares, M.A., and D.J. Schmidly, eds. (1991) *Latin American mammalogy: History, biodiversity and conservation.* Norman, OK, Oklahoma Museum of Natural History.

Mercatante, A.S. (1988) *The facts on file encyclopedia of world mythology and legends.* New York, Facts on file.

Morris, D. (1990) *Les animaux révélés.* Calmann-Lévy.

Newman, P.C. (1991) *Company of adventurers.* Vol. 3, *Merchant princes.* Toronto, Penguin Group.

Novak, M., J.A. Baker, M.E. Obbard and B. Malloch, eds. (1987) *Wild furbearer management and conservation in North America.* North Bay ON, Ontario Trappers Association.

O'Farrell, T.P. (1987) «Kit fox» *in Wild furbearer management and conservation in North America.* Ed. M. Novak, J.A. Baker, M.E. Obbard and B. Malloch, p. 422-31, North Bay ON, Ontario Trappers Association.

People for the Ethical Treatment of Animals. «Ranch-raised fur: Captive cruelty». *PETA Factsheet* Wildlife #3. Washington, DC: People for the Ethical Treatment of Animals.

Preece, R., and L. Chamberlain. (1993) *Animal welfare and human values.* Waterloo, ON, Wilfrid Laurier University Press.

Pulling, Albert Van S. (1973) *Game and the gunner.* New York, Winchester Press.

Rue, Leonard Lee, III. (1969) *The world of the red fox.* New York, J.B. Lippincott.

Sargeant, A.B., R.J. Greenwood, M.A. Sovada and T.L. Shaffer. (1993) «Distribution and abundance of predators that affect duck production — prairie porthole region». U.S. Dept. Interior, Fish and Wildlife Service, Resource Publication 194.

Scott-Brown, J.M., S. Herrero and J. Reynolds. (1987) «Swift fox» *in Wild furbearer management and conservation in North America.* Ed. M. Novak, J.A. Baker, M.E. Obbard and B. Malloch, p. 432-41, North Bay, ON, Ontario Trappers Association.

Seton, E.T. (1909) *Life-histories of northern animals.* New York, Arno Press.

Sheldon, J.W. (1992) *Wild dogs: The natural history of the nondomestic Canidae.* New York, Academic Press.

Sinclair, S. (1985) *How animals see.* New York, Facts on File.

Skrobov, V.D., and E.A. Shirokovskaya. (1968) «The role of the arctic fox in improving the vegetation cover of the tundra». *Problems of the North,* N° 11, p.123-28.

Smith, T.G. (1976) «Predation of ringed seal pups (*Phoca hispida*) by the arctic fox (*Alopex lagopus*)». *Can. J. Zool.,* N° 54, p.1610-16.

Trapp, G.R., and D.L. Hallberg. (1975) «Ecology of the gray fox (*Urocyon cinereoargenteus*): A review» *in The wild canids: Their systematics, behavioral ecology, and evolution.* Ed. M.W. Fox, p.164-78, New York, Van Nostrand Reinhold.

Van der Wall, S.B. (1990) *Food hoarding in animals.* Chicago, University of Chicago Press.

Weintraub, P. (1993) «Vaccines go wild». *Audubon,* N° 95, p. 16.

Winkler, W.G., and K. Bögel. (1992) «Control of rabies in wildlife». *Sci. Am.,* N° 266, p. 86-92.

Zimen, E., ed. (1980) «The red fox: A symposium on behaviour and ecology». *Biogeographica,* N° 18, p. 1-285, The Hague, Dr. W. Junk b.v. Publishers.

INDEX